Naguib Mahfouz

Dérives
sur le Nil

*Traduction de l'arabe
par France Douvier Meyer,
revue par Selma Fakhry Fourcassié
et Bernard Wallet*

Denoël

Titre original :

THARTHARA FAWQ AL NIL

La première édition de cet ouvrage a été publiée en arabe
en 1966, au Caire, Égypte, aux éditions Maktabat Misr.

Naguib Mahfouz est né en 1912 au Caire, dans une famille égyptienne musulmane de la petite bourgeoisie urbaine. Il passe toute son enfance dans les ruelles du quartier populaire de Gamaliyya, d'où il voit, en 1919, le soulèvement populaire contre les Anglais. Il entre à l'université du Caire où il obtient, en 1934, sa licence de philosophie. Journaliste à *El Ehram*, où il a aujourd'hui encore un bureau, il publie en 1938 son premier ouvrage, un recueil de contes.

Il est l'auteur de plus de vingt-cinq romans, mais aussi nouvelliste, scénariste et dramaturge. On peut distinguer quatre périodes dans son œuvre : une première, « pharaonique », lorsqu'il cherche sa voie dans la facture de romans historiques. La deuxième, lors de la Seconde Guerre mondiale, dite réaliste et inaugurée avec *Le Caire moderne* puis *Passage des miracles* (1947), est tout entière consacrée à la peinture de la société égyptienne contemporaine. La troisième étape, « philosophique », commence après la révolution de 1952 : Mahfouz n'abandonne pas la société cairote (sauf dans *Le voleur et les chiens*, et dans *Miramar* dont le cadre est la ville d'Alexandrie), ni le genre romanesque, mais il introduit dans la fiction un contenu de réflexions qui le détermine à faire des recherches sur la forme. C'est à cette époque qu'il écrit ses romans les plus importants : la trilogie cairote (*Impasse des deux-palais*), publiée dans son intégralité en 1956 et qui lui vaut le prix d'État égyptien de littérature ; puis *Le mendiant* ; *Bavardage sur le Nil* ; *Le cœur de la nuit*, etc. Enfin, la quatrième période s'ouvre avec la défaite traumatisante de 1967 : Naguib Mahfouz adopte alors plus volontiers la nouvelle ou la pièce de théâtre en un acte, genre plus elliptique. On peut cependant dire qu'il a introduit le roman dans l'*adab* – la littérature arabe – plus familiarisée avec le récit proprement dit, de tradition orale.

Plusieurs des œuvres de Naguib Mahfouz ont paru en feuilleton dans la presse cairote, ou ont été adaptées au cinéma.

Naguib Mahfouz a obtenu le prix Nobel de littérature en 1988. C'est la première fois qu'il était attribué à un écrivain de langue arabe.

1

Avril, mois de la poussière et des mensonges.

La pièce, longue et haute, est tristement nimbée par la fumée des cigarettes. Les dossiers, sur les étagères, savourent un confort mortel. Comme ils doivent se moquer de celui dont le sérieux redouble devant une tâche aussi médiocre ! Enregistrer les bons d'échange, tenir à jour les dossiers, entrées et sorties... Fourmis, cafards, araignées, et l'odeur de poussière qui s'infiltre par les fenêtres closes.

« Avez-vous terminé votre rapport ? » demanda le chef de bureau.

Anis répondit mollement qu'il l'avait rédigé et fait porter au directeur général.

Son supérieur lui décocha un regard perçant qui brilla un court instant comme un rai de lumière, percutant le verre épais de ses lunettes. L'avait-il surpris en flagrant délit, souriant aux anges ?

Mais en avril, mois de la poussière et des mensonges, chacun se doit de tolérer toutes les futilités...

C'est alors que le chef de bureau fut l'objet d'un changement étrange, qui affecta son torse en une ondulation lente, mais dont on pouvait nettement suivre la progression. Il se mit peu à peu à enfler de la poitrine, du cou, puis du visage, jusqu'au crâne. Anis Zaki scrutait son supérieur. Le gonflement de la poitrine s'amplifia, submergea la tête et le cou, gommant tous les traits du visage, métamorphosant l'homme en une grosse boule de chair ; il sembla s'alléger, et la boule s'éleva, lentement d'abord, puis de plus en plus vite, comme un dirigeable, et vint se coller au plafond en se balançant.

« Pourquoi regardez-vous le plafond, mon cher Anis ? » s'enquit le chef de bureau.

Voilà qu'il le prenait une fois de plus en flagrant délit. Les regards de ses collègues s'emplirent de compassion dédaigneuse et leurs têtes se balancèrent d'un air désapprobateur.

Que les étoiles en soient témoins ! Même les moustiques et les grenouilles me traitent avec plus de bonté et de douceur ! Quant à la vipère tachetée, n'a-t-elle pas rendu un inestimable service à la reine de l'ancienne Égypte ? Chers collègues, on ne peut guère compter sur vous ! Mais en cherchant bien, on peut se consoler avec les quelques mots de cet ami, qui me dit un jour : Installe-toi sur la péniche[1], tu ne paieras pas de loyer, mais tu devras tout préparer pour nous.

Brusquement résolu, il se mit à annoter une pile de courrier : « Cher Monsieur, suite à votre lettre du 2 février 1964, référence 1911, ainsi qu'à celle, s'y rap-

1. Péniche ou maison flottante ou villa d'eau : en arabe *awwâma*. Sorte de ponton amarré aux berges du Nil sur lequel est bâtie une maison en planches, utilisée le plus souvent comme lieu de rendez-vous ou de prostitution.

portant, référence 2008, en date du 28 mars 1964, j'ai l'honneur de vous informer... » Dans l'odeur de poussière ambiante, la radio déversa dans les rues la célèbre chanson *Maman, la lune est à la porte*, et il cessa d'écrire en murmurant : « Dieu que c'est beau ! »

Son voisin de droite déclara alors :

« Tu as de la chance de ne pas avoir de soucis ! »

Ô vous ! les anciens si parfaits ! dans l'attente
d'un impossible rêve, vous jouez aux acrobates.
Et je suis là, parmi vous, miraculeux, traversant
sans fusée l'espace interplanétaire.

L'arrivée du planton avec le plateau du café provoqua chez Anis un tremblement de délectation.

« Sans sucre !

— Vous le trouverez ici lorsque vous aurez fini votre entretien avec M. le Directeur général », répliqua le serviteur campé devant son bureau.

Anis quitta la pièce. Grand et fort, sa stature de colosse devait plus à la lourdeur de son ossature qu'à un ventre bien rempli. Il se rendit chez le directeur et se tint humblement devant lui. Le crâne chauve restait penché sur ses papiers, offrant au regard de son subalterne l'image d'une barque renversée. Il rassembla ce qu'il lui restait de volonté pour chasser de son esprit tout ce qui pourrait le distraire et le mettre dans une situation aux conséquences désastreuses. L'homme leva un visage pointu et ridé et lui lança un regard perçant. Quelle erreur avait donc pu se glisser dans ce rapport qu'il avait pourtant rédigé avec un soin inhabituel ?

« Je vous ai demandé un rapport détaillé sur les entrées du mois dernier.

« — Oui, monsieur. Je vous l'ai apporté, monsieur.

— Est-ce ceci ? »

Il regarda la couverture où s'étalaient ces mots, écrits de sa main : *Rapport sur les entrées du mois de mars, à l'intention de M. le Directeur général des archives.*

« C'est bien cela, monsieur.

— Tenez, lisez donc ! »

Il vit quelques lignes, écrites avec soin, suivies d'un espace blanc. Il retourna les feuillets avec perplexité et fixa le directeur d'un air stupide. L'homme, haineux, lui ordonna de lire.

« Monsieur le Directeur, je l'ai écrit, mot après mot...

— Expliquez-moi donc comment il a disparu ?

— Vraiment, c'est un mystère !...

— Vous avez pourtant là les traces d'une plume !

— Une plume ?

— Donnez-moi votre stylo magique ! »

Il lui arracha son stylo et se mit à dessiner des formes sur un dossier, sans qu'aucune ne s'imprime.

« Il n'y a pas une goutte d'encre ! »

La large face d'Anis exprimait la consternation.

« Vous avez commencé à tracer ces lignes, puis vous avez manqué d'encre, mais vous avez continué... », dit-il amèrement.

L'autre ne souffla mot.

« Vous n'avez pas vu que le stylo n'écrivait pas... »

Il agita la main, perplexe.

« Dites-moi, monsieur Anis, comment une telle chose a-t-elle pu se produire ? »

Parfaitement ! Comment ? Comment la vie fut-elle insufflée pour la première fois dans l'écume des failles rocheuses, au fin fond des océans !

« Monsieur Anis, vous n'êtes pas aveugle, je pense ? »

Il baissa la tête avec soumission.

« Je dirai donc à votre place que vous n'avez pas vu la page parce que vous êtes un drogué !

— Monsieur...

— C'est la pure vérité, une vérité connue de tous, même des plantons et des factotums ! Je ne vous ferai pas de sermon, je ne suis pas votre tuteur. Faites de vous ce que bon vous semble, mais je suis en droit de vous demander de distinguer vos heures de travail des heures de toxicomanie...

— Monsieur...

— Épargnez-moi vos états d'âme ! Faites-moi donc simplement le plaisir de ne pas vous droguer pendant le travail...

— Dieu m'est témoin, je suis malade !

— Vous êtes un perpétuel malade...

— Ne croyez pas ce que...

— Il me suffit de voir vos yeux...

— C'est la maladie, et rien d'autre...

— Je ne vois que des yeux injectés de sang, glauques et troubles...

— N'écoutez pas les propos de...

— Vos yeux regardent vers l'intérieur, au lieu de se tourner vers l'extérieur comme tout le monde... »

De sa main couverte de poils blancs embroussaillés, le directeur fit un geste menaçant, puis ajouta d'un ton sec :

« Ma patience a des limites. Ne vous laissez pas complètement aller ! Vous approchez de la quarantaine, l'âge mûr à ce que l'on dit, et non celui des frivolités... »

Anis recula d'un pas, se préparant à sortir.

« Je ne vous retiendrai que deux jours de salaire, mais tâchez de ne pas recommencer. »

Il se dirigea vers la porte et l'entendit qui lui lançait, méprisant :

« Quand ferez-vous la différence entre l'administration et une fumerie ! »

Quand il regagna son bureau, toutes les têtes se levèrent d'un air inquisiteur. Il fit semblant de les ignorer, et se mit à contempler sa tasse de café. Il sentit soudain son collègue se pencher vers lui, sans doute pour l'interroger, et grommela d'un ton irrité :

« Occupe-toi de tes affaires... »

Il sortit un encrier du tiroir et entreprit de remplir son stylo. Il lui fallait recommencer son rapport. Les entrées... En fait, il n'y en avait aucune. Un mouvement circulaire autour d'un axe fixe... Un mouvement circulaire qui rit de son absurdité... Un mouvement circulaire dont la finalité est le vertige. Dans cette brume nauséeuse, la valeur des choses s'estompe, médecine, science ou droit... Les parents oubliés du cher village... La femme et l'enfant couchés sous la terre... Les mots embrasés de ferveur enfouis sous la neige... Sur la route, il n'y avait plus âme qui vive. Portes et fenêtres furent fermées. Les sabots des chevaux soulevèrent la poussière. Les Mamelouks poussèrent les cris de joie de la bataille. Dans les quartiers de Margoush ou de Gamaliyya, quiconque croisait leur chemin devenait une cible. Les victimes s'égaraient dans la clameur démentielle. Les mères, dépouillées de leurs enfants, imploraient la pitié du

Mamelouk... Le chasseur s'abattait sur elles, un jour d'oisiveté...

Le café refroidit, prit un tout autre goût...

Le Mamelouk n'en finissait pas de rire à gorge déployée. Il riait toujours lorsque la migraine chassa la vision. Tous traînaient leurs barbes dans la poussière, se réjouissant de leur prestige et des tortures qu'ils infligeaient...

Une joyeuse fébrilité envahit la sombre atmosphère de la pièce, annonçant l'heure de sortie des bureaux.

2

La péniche s'immobilisa sur les eaux grises du Nil, familières comme les traits d'un visage. À droite, un espace vide qu'une autre péniche avait longtemps occupé, avant qu'un beau jour le courant ne l'emporte ; à gauche, un oratoire, s'étirant sur un large banc de sable de la berge, ceint d'un mur d'argile sèche, et tapissé de nattes usées. Anis Zaki franchit le seuil d'une porte en bois blanc, bordée de chaque côté par une haie de buissons de violettes et de jasmin. Am Abdu, le gardien, l'accueillit. Droit, bien charpenté, sa taille gigantesque dépassait le toit de sa hutte en pisé, couverte de planches et de palmes. Anis s'engagea sur la passerelle, au-dessus d'un chemin dallé, délimitant deux espaces verdoyants. Celui de droite abritait en son milieu un carré de cresson. L'autre, à l'extrême gauche, était planté de liserons qui s'épanouissaient derrière un goyavier élancé. Le soleil dardait avec insistance ses rayons brûlants entre les branches d'eucalyptus que l'on avait coupées aux arbres du bord de route et qui couvraient la tonnelle d'un petit jardin.

Il se changea, et s'assit sur le pont. Vêtu de sa galabiah blanche, dominant le Nil, bercé par une brise légère, il s'offrait à ses caresses tendres et laissait errer son regard sur l'étendue d'eau, immobile et silencieuse, plate et terne, mais sur laquelle se répercutaient parfaitement les voix depuis les péniches de la berge opposée, abritées en une longue file sous les branches d'acacias. Il soupira profondément. Am Abdu lui demanda s'il allait bien, tout en s'affairant autour d'une petite table attenante au mur de droite, à deux mètres du réfrigérateur Norj.

Il se tourna vers lui en grommelant.

« Ma bonne humeur s'est heurtée à une ambiance insalubre et répugnante.

— Mais, finalement, tu la retrouves assez vite... »

Il l'étonnait toujours. Il ressemblait à un très vieux géant venu du fond des âges, les traits figés de son visage rehaussés par la vivacité du regard. Peut-être était-ce la profondeur des rides qui le terrorisait, ou l'épaisse touffe de poils blancs qui s'épanouissaient par l'encolure de sa galabiah, comme des fleurs de chênes... Les plis de son vêtement de coton grossier tombaient librement, l'enveloppant comme ils l'eussent fait d'une statue. Il n'avait que la peau et les os, mais ces os formaient une charpente magnifique, dont le faîte heurtait le plafond de la péniche. Tout son être exerçait une attraction irrésistible, vivant symbole de la résistance contre la mort. C'était pour toutes ces raisons qu'il appréciait sa compagnie, bien que leur cohabitation ne datât que d'un mois.

Il se mit à table et attaqua sa côtelette, tout en suivant des yeux, sur la cloison de bois badigeonnée d'un enduit bleu ciel, un petit gecko qui grimpa vivement vers l'interrupteur pour s'y réfugier. Pourquoi donc le lézard lui rappela-t-il alors son chef de bureau ? Soudain, une question se mit à le tara-

18

buster : le calife fatimide Mu'izz Li-Din-Allah avait-il des descendants qui pourraient revendiquer leur droit à la souveraineté du Caire ?

« Quel âge as-tu, Am Abdu ? »

Il se tenait derrière le paravent qui dissimulait la porte, le dépassant comme un cyprès dressé vers les nuages. Il sourit, feignant de ne pas prendre la question au sérieux.

« Mon âge ? »

Anis acquiesça d'un hochement de tête, tout en savourant la nourriture, mais le vieil homme ne répondit pas.

Je ne sais donner d'âge à personne, songea-t-il, mais il est probable qu'il vivait bien avant que le premier arbre soit planté sur la corniche du Nil. Et malgré cela, il reste d'une force exceptionnelle. Il inspectait les flotteurs ou réglait les amarres, et tout lui obéissait; il arrosait les plantes, dirigeait la prière, et savait aussi merveilleusement faire la cuisine.

« As-tu toujours vécu seul dans ta cabane ?

— Elle me suffit à peine...

— D'où viens-tu, Am Abdu ? »

Il poussa une vague exclamation.

« Tu n'as pas de famille au Caire ?

— Personne.

— Nous avons au moins ça en commun... Et puis, ta cuisine est délicieuse...

— Merci !

— Tu manges trop pour ton âge.

— Je mange ce que je peux digérer... »

Il considéra les restes de côtelette, et se dit qu'un jour il ne subsisterait du directeur général que quelques os comme ceux-ci. Comme il aimerait être là le jour de son jugement dernier ! Il se mit à éplucher une banane, tout en poursuivant son interrogatoire :

« Depuis quand travailles-tu sur la péniche ?

— Depuis qu'elle est amarrée.

— C'est-à-dire ?

— Est-ce que je sais !

— Son propriétaire était-il le même qu'à présent ?

— Beaucoup se sont succédé.

— Ton travail te plaît ? »

Il répondit avec orgueil :

« Je suis la péniche, parce que je suis le câble et le flotteur, et que si je relâchais mon attention un seul instant, elle coulerait et serait entraînée par le courant... »

Charmé par cette fierté ingénue, Anis rit et le contempla longuement avant de l'interroger à nouveau :

« Quelle est pour toi la chose la plus importante au monde ?

— La santé. »

La réponse, quelque peu obscure et magique, le fit rire un bon moment, puis il reprit :

« Quand as-tu aimé une femme pour la dernière fois ?

— Oh la !

— Et après l'amour, n'as-tu pas trouvé autre chose pour te réjouir ?

— Je me suis réfugié dans la prière.

— Tu as une belle voix lorsque tu appelles les croyants... »

Il ajouta d'un ton gai :

« Et puis ton auréole de sainteté ne s'altère pas quand tu sors pour ramener du kif ou une belle de nuit... »

Pour toute réponse il éclata de rire et rejeta en arrière sa tête coiffée d'une calotte blanche.

« C'est vrai, n'est-ce pas ?

— Je suis au service de ces messieurs », répondit-il en s'essuyant le visage d'un revers de main.

Oh ! que non ! Il était lui-même la péniche, comme il disait — câble, flotteur, plantation, nourriture, femme et appel à la prière à la fois.

Anis se leva, la serviette sur le bras, et sortit par une porte latérale pour se laver les mains dans l'évier. Puis il revint en murmurant que seuls les excès avaient empêché les califes de vivre plus longtemps. Il aperçut Am Abdu, absorbé à nettoyer la table, le dos courbé comme l'arc de certains palmiers. Il lui demanda, taquin :

« As-tu déjà vu le diable ?

— J'ai tout vu. »

Il s'exclama, levant les yeux au ciel :

« Cette péniche n'a-t-elle donc jamais été habitée par une famille respectable ?

— Ça !

— Ô gardien des plaisirs ! si tu n'aimais pas cette vie, tu l'aurais quittée dès le début...

— Mais j'ai construit l'oratoire de mes propres mains ! »

Il regarda les livres alignés sur les étagères, sur toute la longueur du mur à gauche de l'entrée. Une bibliothèque qui remontait à l'histoire de l'Antiquité et se prolongeait jusqu'à l'ère atomique, domaine de son imagination et trésor de ses rêves. Il prit au hasard l'ouvrage de K. K. sur la vie monastique chez les coptes et le parcourut pendant une heure ou deux, avant la sieste, comme il avait l'habitude de le faire chaque jour... Quand Am Abdu eut achevé sa tâche, il s'approcha de lui, attendant les ultimes recommandations, avant de partir. Il lui demanda alors :

« Que se passe-t-il dans le monde, Am Abdu ?

— Pourquoi ne sortez-vous pas, maître ?

— Je vais chaque jour au ministère.

— Je veux dire, pourquoi n'allez-vous pas voir le monde ? »

Anis répondit en s'esclaffant :

« Mes yeux regardent vers l'intérieur, et non vers l'extérieur comme le commun des mortels ! »

Puis il le congédia, lui ordonnant de le réveiller avant le coucher du soleil, si d'aventure il s'endormait.

3

Le fumoir était prêt. Les matelas étaient disposés en un large croissant, juste devant le pont. Au milieu, un grand plateau de cuivre où étaient rassemblés le narguilé et tout le nécessaire. Le crépuscule enveloppa l'eau et les arbres ; dans l'air s'installa une douceur rêveuse. Des vols de pigeons blancs passaient au-dessus du Nil. Anis, accroupi derrière le plateau, contemplait le coucher de soleil d'un air ensommeillé, goûtant amoureusement la senteur lourde de l'eau. D'une façon générale, le monde gardait son apparence naturelle ; mais lorsque le charme du kif mêlé au café noir agirait, les choses changeraient. Des formes abstraites, cubistes, surréalistes ou fauvistes se substitueraient aux eucalyptus, aux acacias et aux plus belles des péniches. L'être humain, quant à lui, retournerait à l'ère des mousses...

Mais pourquoi donc certains Égyptiens s'étaient-ils faits moines ? Et quelle était la dernière noukta[1] sur les moines et les savetiers ?

Le poids d'un pas sur la passerelle agita légère-

---

1. Une de ces histoires drôles qui se colportent à travers la ville et dont les Égyptiens raffolent.

ment la péniche. Il se prépara à accueillir le visiteur. Une jeune femme, silhouette harmonieuse et chevelure dorée, s'avança sur le pont en le saluant gaiement.

« Bienvenue au ministère des Affaires étranges ! » marmonna-t-il.

Layla Zaydan était son amie depuis une dizaine d'années. Âgée d'environ trente-cinq ans, elle était vieille fille comme il convient de l'être pour une pionnière de la liberté, mais issue d'un milieu très conservateur... Jamais tu n'as pu la toucher, mais la vieillesse, elle, a fait son œuvre : ces fines ridules aux coins des yeux et aux commissures des lèvres, et une touche de sécheresse, dure et désolée, celle d'un réceptacle que l'eau n'irrigue plus... Elle était encore belle, la fraîcheur de son teint la rendait désirable, malgré son nez un peu fort, et une vague menace qui rampait, prête à la ravager. Sous le règne de Chéops, elle gardait les moutons sur la presqu'île du Sinaï, mais n'avait laissé aucune trace de son passage, puisqu'un serpent aveugle l'avait mordue...

Sans se tourner vers lui, elle parut s'adresser au Nil.

« Dure journée aujourd'hui au ministère. J'ai traduit vingt pages...

— Que se passe-t-il en politique étrangère ?

— Qu'attends-tu ?

— Je ne demande que le minimum... »

Elle se déplaça jusqu'au divan le plus éloigné, vers la droite, et s'assit.

« C'est toujours la même chose ici, dit-elle. Am Abdu est assis comme une statue dans le jardin, et toi tu es là en train de préparer le narguilé !

— Tout ça parce qu'il faut que l'homme travaille. »

Il s'abandonna à une sensation d'étourdissement et la nuit lui apparut comme un être absurde, vieux de millions d'années. Il se mit à critiquer une femme passionnée qui, chaque fois qu'un amant la quittait, se jetait dans les bras d'un autre. Selon lui, un tel comportement s'expliquait par les phases successives de la lune, du premier croissant à sa plénitude.

Elle sourit froidement et reprit avec ironie, sur le même ton.

« Tout ça parce qu'il faut que la femme aime !... Salaud ! » ajouta-t-elle en grommelant.

Il lut sur son visage de légers signes de colère, mais n'y décela nulle trace de haine. Anis eut alors la certitude qu'en termes de « divertissement », elle ne pouvait être comparée à une femme comme Victoria, reine de l'ère conservatrice.

Il lui lança négligemment.

« Pourquoi ne me prendrais-tu pas pour petit ami ? »

Il l'implora du regard.

« Si tu utilisais un jour le mot amour comme prédicat d'une phrase toute simple, répliqua-t-elle, tu en oublierais inévitablement l'attribut à tout jamais ! »

Il se rappela alors combien son arabe était bon, aussi bon que celui du directeur général, qui se permettait pourtant de lui retenir deux jours de son salaire, sans raison valable, si ce n'était qu'il avait rendu une page blanche. Comme le jour où Layla lui avait dit : « Tu n'as pas de cœur ! » Le groupe d'amis s'en était allé et il ne restait plus sur la péniche qu'elle et Khalid Azzuz. Brusquement, il avait saisi le bras de la jeune femme : « Cette nuit, tu es à moi. » Pourquoi était-ce toujours Khalid ? Il a hérité de toi après que Ragab t'a quittée. Donc, cette nuit est pour moi... Chargée de colère, sa voix s'amplifia, se joignant à l'appel à la prière de l'aube. Am Abdu est dehors, et toi, ici, tu hurles comme un fou ; Khalid avait étendu ses mains ouvertes en l'implorant : « Quel scandale tu fais ! »

Layla avait commencé par rire, puis s'était mise à pleurer. On avait alors débattu d'un problème hautement philosophique : elle aimait Khalid et, pour cette raison, ne pouvait s'abandonner au désir d'Anis, malgré leur amitié ; sinon, elle ne serait qu'une prostituée. Cette nuit-là, il avait crié que l'appel à la prière était plus aisé à comprendre que tous ces mystères. Layla avait essayé d'apaiser les esprits.

« L'amitié est ce qu'il y a de plus important, elle seule est éternelle.

— Mes condoléances ! »

Il roula une cigarette qu'ils fumèrent ensemble en attendant. Elle inspira une bouffée avec avidité et toussa longuement. Comme d'habitude, il annonça que le premier joint faisait tousser, mais qu'ensuite venait le plaisir. Il se dit à lui-même qu'il ne s'étonnait pas que les Égyptiens aient pu adorer un pharaon ; en revanche, il paraissait incroyable que le pharaon ait pu se prendre réellement pour un dieu.

La péniche fut violemment secouée, et l'on entendit un brouhaha à l'extérieur. Il regarda du côté de l'entrée cachée par le paravent et aperçut le groupe d'amis qui arrivait : Ahmad Nasr, Mustafa Rachid, Ali as-Sayid, Khalid Azzuz... Salut ! Bonsoir ! Khalid vint s'asseoir près de Layla ; Ali as-Sayid s'écroula lourdement à la droite d'Anis en criant :

« Au secours ! »

Anis se mit à préparer la mixture, la tassa, et le narguilé fit le tour. Mustafa Rachid demanda s'ils avaient des nouvelles de Ragab. Anis déclara d'un ton incertain :

« Il m'a dit au téléphone qu'il était au studio. Il viendra tout de suite après le travail. »

Le souffle d'une brise venue du pont attisa les braises du narguilé. La fébrilité d'Anis s'intensifia, et sur son large visage une béatitude immobile s'épanouit. Il déclara que celui qui avait fait de l'histoire de l'humanité un cimetière glorieux ornant les étagères des bibliothèques ne l'avait pas privé d'instants parfumés de bonheur.

Khalid se tourna vers Ali.

« Quoi de neuf dans la presse ? »

D'un geste, ce dernier désigna Layla Zaydan :

« Tu as devant toi le ministère des Affaires étrangères...

— Mais j'ai vraiment entendu des choses étonnantes... »

Anis reprit, ironique :

« Ne vous cassez pas la tête. C'est fou ce qu'on peut entendre, mais, malgré tout, notre bonne Terre est toujours là, et il ne se passe absolument rien... »

Mustafa Rachid déglutit et rétorqua :

« Mieux que cela ! le monde se fiche de nous autant que nous de lui... »

Anis Zaki reprit :

« Tant que le narguilé circule, quoi d'autre peut-il vous préoccuper ? »

Khalid l'examina d'un air admiratif.

« Écoutez la voix de la sagesse de la bouche des haschaschins ! lança-t-il.

— Écoutez donc ce qui m'est arrivé aujourd'hui avec le directeur général... »

Son histoire de stylo déchaîna une tempête de rires, et Sayid commenta sentencieusement :

« C'est avec de tels stylos que sont signés les traités de paix... »

Le narguilé poursuivait sa ronde mélodieuse et incandescente. Un nuage de moustiques auréola le néon. Au-delà du pont l'ombre s'installait, et le Nil disparut, bien que l'on distinguât vaguement les quelques formes géométriques renvoyées par les lampadaires de la rive opposée, et les fenêtres éclairées des péniches. De l'étreinte de la pénombre émergea le crâne glabre du directeur, telle une barque renversée. Il était clair qu'il appartenait à la dynastie des Hyksos, et qu'il devait retourner au désert. Le pire qui puisse arriver, que la soirée finisse comme avait fini la jeunesse de Layla Zaydan, comme les cendres qui envahissaient à présent les braises du narguilé.

Au fait, qui a dit que les révolutions sont conçues par les grands esprits et réalisées par les braves, pour qu'à la fin les lâches en profitent ?

Am Abdu arriva alors, saisit le narguilé pour en changer l'eau, le reposa, et s'en retourna en silence. Khalid ôta ses lunettes dorées et les essuya, tout en déclarant son admiration pour le vieil homme. Ahmad Nasr sortit de son silence habituel pour s'exclamer :

« C'est un descendant des dinosaures ! »

Mustafa Rachid ajouta :

« Grâce à Dieu, il a passé l'âge, sinon il ne nous aurait laissé aucune femme pour nous délecter... »

Anis leur rapporta la conversation qu'il avait eue avec le vieil homme, à l'heure du déjeuner, et Ali as-Sayid déclara :

« Le monde a besoin de titans comme lui pour asseoir sa politique... »

Un silence passager s'installa ; les glouglous du narguilé s'amplifièrent, et du dehors parvinrent les coassements des grenouilles et les stridulations des grillons. À travers le nuage de fumée qui s'épaississait, les mains de Layla et de Khalid se joignirent. Amis de toujours, pour le meilleur et pour le pire... Le long nez aquilin d'Ahmad Nasr ne pouvait se comparer qu'à celui d'Ali as-Sayid même si celui-ci se dressait au milieu d'un visage plus large, au teint plus clair...

L'ombre, au-dehors, lui enjoignit de ne se préoccuper de rien. Une voix lui parvint dans une lueur d'étoile rouge pâle, qui avait parcouru la distance entre elle et le narguilé en cent millions d'années. Elle lui répétait de ne pas s'en faire, puisque le directeur général lui-même disparaîtrait un jour, comme avait disparu l'encre du stylo. Son cœur était libre de tout souci depuis qu'il avait enfoui sous la terre son bien le plus précieux... Si tu veux vraiment faire l'idiot pour attirer l'attention, défais-toi de tes vêtements et va te pavaner sur la place de l'Opéra. Tu trouveras là Ibrahim Pacha qui indique du haut de son cheval l'hôtel *Continental,* la meilleure enseigne publicitaire du pays !

« Est-il vrai que nous mourrons un jour ?

— Attends que le bulletin d'informations soit diffusé.

— M. Anis philosophe...

— C'est vrai qu'il a posé une question que personne n'avait posée auparavant ! »

Layla Zaydan s'enquit de la dernière noukta. Mustafa Rachid répondit :

« Il n'y a plus d'histoires drôles depuis que notre vie est devenue elle-même une plaisanterie grotesque. »

Il observa l'ombre au-delà du pont, y vit une énorme baleine qui s'approchait silencieusement de la péniche. Ce n'était certes pas ce qu'il avait vu de plus étonnant dans le Nil à la tombée de la nuit. Mais cette fois-ci, l'animal ouvrait une gueule immense, comme s'il voulait engloutir la péniche...

La conversation se poursuivait sans qu'ils attachent de l'importance à sa vision. Il décida donc d'attendre la suite des événements sans s'en faire. Mais, soudain, la baleine s'arrêta et cligna de l'œil en disant : « Je suis la baleine qui a sauvé Jonas. » Puis elle recula et disparut. Anis se mit à rire, et Layla Zaydan lui en demanda la raison. Il répondit, évasif :

« D'étranges apparitions...

— Et pourquoi ne les verrions-nous pas nous aussi ? »

Il rétorqua, sans cesser de s'activer :

« C'est parce que, comme le disait le grand cheikh, le distrait n'arrive jamais à rien.

— Pas de cheikh pour nous, espèce d'imposteur !

— Il n'y a pas un mètre carré de terre au monde qui soit à l'abri des séismes !

— Qui ne manque pas non plus de musique et de danse !

— Si tu veux vraiment rire de bon cœur, contemple la terre d'en haut.

— Heureux ceux qui sont en haut !

— Mais avec la nouvelle loi des finances, les esprits vont s'apaiser.

— La loi s'applique-t-elle aussi aux animaux ?

— J'ai bien peur qu'elle ne s'applique d'abord aux animaux...

— Voilà que la lune attend les émigrants !

— Ce dont j'ai encore le plus peur, c'est que Dieu se lasse de nous !

— De la même façon que toute chose se lasse de toute chose.

— Comme Ragab s'est lassé de ses maîtresses...

— Et comme la lassitude se lasse de la lassitude...

— Et la solution, n'y a-t-il pas de solution ?

— Bien sûr que si, il faut que nous nous unissions pour changer le monde.

— Ou bien que nous restions comme nous sommes. C'est encore mieux ; cela durera plus longtemps. »

Un bruit de pas retentit sur la péniche. Ils s'attendaient à voir apparaître Ragab, mais une femme enjouée entra, dont le corps n'avait pour seul défaut qu'une légère disproportion entre l'ampleur généreuse du buste et le reste. Saniyya Kamil ! Son regard gris les parcourut, puis elle les embrassa tour à tour. Ali as-Sayid la fit asseoir près de lui, et s'étonna :

« Nous ne t'avions pas vue depuis le mois de ramadan ! » Il lui baisa la main à deux reprises avant d'ajouter : « Une visite en coup de vent ? »

Avec un accent de tendresse, elle répondit en grasseyant :

« Une visite permanente.

— Ça veut dire que ton mari t'a quittée !

— Ou que je l'ai quitté... », rétorqua-t-elle en sai-
sissant le narguilé. Elle exhala d'un air gourmand un
nuage de fumée, et ajouta pour satisfaire leur curiosité : « Je l'ai de nouveau surpris en train de flirter
avec une voisine !

— Quelle nouvelle érotique !

— J'ai hurlé pour que même le voisin du septième
soit au courant !

— Bravo !

— J'ai laissé la petite bonne avec les enfants, et je
suis allée chez ma sœur à Maadi.

— Décision difficile, mais nécessaire à la régénéra-
tion du lien conjugal...

— Après cela, la première chose qui me soit venue
à l'esprit, fut de rendre visite à ma péniche.

— Tu as bien fait, œil pour œil... »

Mustafa Rachid, désignant Ali as-Sayid, déclara :

« C'est au tour du mari de rechange... »

Anis Zaki s'exclama d'un ton rageur :

« Pourquoi ne serait-ce pas mon tour cette fois-
ci ? »

Ali as-Sayid rétorqua gentiment :

« Mais je suis depuis longtemps l'homme de
rechange de Saniyya Kamil...

— Et moi ?

— Tu es notre maître, la couronne de nos têtes, et
notre bienfaiteur à tous, et si tu attachais vraiment
de l'importance à l'amour, tu en aurais autant que tu
le désires, et même davantage !

— Menteur !

— Mais tu n'as guère de temps pour l'amour,
reprit-il en faisant allusion au narguilé.

32

— Salopards ! Je vais vous raconter ce qui m'est arrivé avec le directeur général...

— Mais tu nous as déjà tout raconté dans les moindres détails ; l'as-tu déjà oublié, ô toi, notre bienfaiteur ? !

— Salauds ! c'est donc que la vie s'en ira avant même que nous comprenions ce qui nous arrive... »

Le narguilé circula, en s'attardant entre les mains de Saniyya Kamil, puisqu'elle n'y avait pas eu droit depuis le dernier ramadan. Anis l'examina en silence : elle était brune, nerveuse et gaie. Mais elle n'oubliait pas ses enfants, même dans son délire érotique, et ses fumeries. Elle finirait par revenir à son mari. Comme chaque fois, elle vivrait un an avec lui, puis le quitterait à nouveau pour une année. Elle jurait toujours qu'il avait tort... C'était Ragab qui l'avait amenée la première fois ; comme il avait amené un jour Layla Zaydan. Il était le dieu de l'amour et le pourvoyeur en femmes de la péniche.

J'avais fait la connaissance d'un de ses ancêtres, qui parcourait les forêts lorsque le monde était encore vierge de toute construction. Il enfouissait entre les bras des femmes sa peur des animaux, de l'ombre, de l'inconnu et de la mort. Il avait un radar dans les yeux, une radio dans l'oreille, et une vraie bombe au creux de la main. Il avait remporté de superbes victoires, avant de s'effondrer et de mourir. Quant à son petit-fils Ragab...

La péniche tressaillit. La voix de Ragab al-Qadi s'éleva, prévenante pour celle qui l'accompagnait :

« Doucement, ma chérie... » Ils prêtèrent l'oreille et Khalid murmura :

« C'est peut-être une actrice qu'il nous ramène des studios. »

De derrière le paravent apparut Ragab, svelte, le visage gracieux, précédé d'une jeune fille qui n'avait pas vingt ans. Brune, le visage rond aux traits fins, elle parlait d'une voix légère. Sans doute lut-il sur les visages de ses compagnons leur surprise devant sa jeunesse. Souriant, il annonça de sa voix mélodieuse :

« Mlle Sana al-Rachidi, étudiante à la faculté des lettres... »

4

Tous les yeux se portèrent sur la nouvelle venue mais elle ne se troubla pas et leur retourna un regard rieur plein d'audace.

Ragab l'enlaça par la taille et prit place en installant sa compagne avant de s'écrier :

« Au secours, ô toi qui prodigues la grâce !

— Devant la demoiselle ? » s'enquit Ahmad.

Il rétorqua avec un accent de reproche :

« On ne ment pas à une authentique admiratrice. »

Il inspira une longue bouffée profonde qui fit danser sur les braises incandescentes du narguilé une langue de feu. Savourant son plaisir, il ferma les yeux avant de s'adresser à Sana :

« Laisse-moi te présenter les camarades qui feront dès cette nuit partie de ta famille. »

C'est alors qu'il remarqua la présence de Saniyya Kamil ; il lui serra chaleureusement la main, pressentant les raisons de sa venue. Elle acquiesça d'un rire bref, puis il la présenta :

« Une ancienne élève du collège de la Mère de Dieu, épouse et mère, une personne vraiment remarquable qui dans les moments de détresse familiale revient vers ses vieux amis... Une femme d'expérience, ayant vécu une féminité pleine aussi bien comme vierge qu'en tant qu'épouse et mère de famille ; bref, un trésor d'informations pour les petites filles de la péniche... »

Les rires fusèrent et Sana ébaucha un sourire ; Saniyya, quant à elle, lui jeta un regard réprobateur toutefois dénué de colère. Il se tourna alors vers Layla Zaydan :

« Mlle Layla Zaydan, diplômée de l'université américaine, traductrice au ministère des Affaires étrangères, la beauté et la culture, sans compter une position brillante dans l'histoire des pionnières de notre pays... Au fait, sa chevelure dorée est véritable, sans perruque ni teinture... »

Puis il passa à Anis Zaki, absorbé dans son travail :

« Anis Zaki, fonctionnaire au ministère de la Santé, maître à bord de la péniche, ministre de la Défonce, un homme aussi cultivé que toi, dont voici la bibliothèque ; il a fait le tour des facultés de médecine, de science et de droit, s'en imprégnant sans en passer les diplômes, modèle de désintéressement, issu d'une respectable famille paysanne ; mais il vit seul au Caire depuis longtemps, comme un vrai cosmopolite... Ne te vexe pas s'il te parle peu, il vit au royaume du haschisch ! »

Ce fut au tour d'Ahmad Nasr :

« Ahmad Nasr, directeur des comptes, haut fonctionnaire, une autorité en diverses matières, ventes, achats et autres affaires juteuses ; il a une fille de ton âge, mais c'est un mari très spécial, il mérite qu'on s'y arrête : imagine-toi que, marié depuis vingt ans, il n'a pas trompé sa femme une seule fois, et sa compagnie ne l'ennuie toujours pas... Il est de plus en plus attaché à sa vie conjugale, c'est pourquoi je propose que son cas soit mis à l'étude de la prochaine conférence médicale... »

Il poursuivit, en désignant Mustafa Rachid :

« Le célèbre juriste, Mᵉ Mustafa Rachid, avocat brillant, philosophe, dont l'épouse est inspectrice au ministère de l'Éducation ; il est à la recherche sincère de l'absolu et le rencontrera sans doute un de ces soirs ; méfie-toi de lui, car il répète qu'il n'a pas encore trouvé son idéal féminin...

« Ali as-Sayid, dit-il en tapotant le dos de ce dernier, le célèbre critique d'art ; bien sûr, tu en as entendu parler. Je voudrais ajouter qu'il rêve d'une ville idéale et imaginaire. Dans sa vie réelle, il est le mari de deux femmes, l'amant de Saniyya Kamil et d'autres suivront... »

Il se tourna enfin vers Khalid Azzuz :

« M. Khalid Azzuz, au premier rang de nos auteurs de nouvelles, propriétaire d'un immeuble, d'une villa, d'une voiture, et actionnaire, grâce aux revenus de sa doctrine " l'art pour l'art " ; il a aussi un garçon et une fille ; il défend une philosophie qui lui est propre et que je ne saurais qualifier, mais dont le libertinage est l'un des concepts de base... »

Il lui sourit, découvrant des dents blanches et régulières, puis murmura :

« Il ne reste plus qu'Am Abdu dont nous avons aperçu la silhouette dans le jardin en arrivant ici ; naturellement tu lui seras présentée, puisque tout le monde le connaît sur la corniche... »

Anis appela Am Abdu et lui demanda de changer l'eau du narguilé. Les yeux de Sana s'agrandirent de stupéfaction devant sa taille gigantesque, et Ragab renchérit :

« Heureusement que c'est un modèle d'obéissance, sinon, il nous noierait tous s'il voulait... »

On ne craint pas de se noyer tant que la baleine sera dans l'eau... La main de cette jeune mineure est aussi menue que celle de Napoléon, mais ses ongles sont rouges et effilés comme la proue d'un bateau de course. Sa présence parachevait le tableau des délits du code pénal représentés sur la péniche. Voilà que l'ombre se mettait à parler.

Mustafa Rachid déglutit et demanda :
« Quelle est la spécialité de la demoiselle ?
— L'histoire », répondit-elle d'une voix caressante.
Anis émit un sifflement admiratif et Ragab lui lança :
« Elle n'étudie pas comme toi une histoire pleine de sang, elle se consacre aux belles choses, elle.
— Il n'y a rien de beau en l'histoire.
— C'est comme la passion d'Antoine et Cléopâtre !
— Une passion sanglante...
— De toute façon, elle ne s'est pas limitée aux sabres et aux vipères... »
Sana paraissait anxieuse. Elle regarda du côté du paravent en demandant :
« Vous n'avez pas peur de la police ?
— La police des mœurs ? » l'interrogea Mustafa Rachid en souriant...
Lorsque les rires se calmèrent, elle reprit :
« Il y a aussi les services de renseignements !
— D'avoir à craindre la police, l'armée, les Anglais,

les Américains, le connu et l'inconnu, on finit par ne plus craindre rien ni personne...

— Mais la porte est ouverte !

— Dehors, il y a Am Abdu, et c'est notre garantie contre toute agression. »

Ragab la rassura, souriant :

« Ne t'inquiète pas, ô lumière de mes yeux, la nation tout entière est absorbée dans la construction et elle a d'autres chats à fouetter... »

Mustafa Rachid lui tendit le narguilé :

« Essaie plutôt ce genre de courage. »

Elle refusa doucement.

« Chaque chose en son temps. L'homme commença par se gratter avec ses ongles et finit par construire une fusée. Roule-lui une cigarette », demanda Ragad.

Il la lui tendit peu après. Elle la prit avec une légère méfiance puis l'introduisit entre ses lèvres. Ahmad Nasr lui jeta un regard compatissant, et Anis se dit qu'en fait il devait s'inquiéter pour sa fille. Ma fille, elle aussi, serait de l'âge de Sana.

Mais quel sens cela a-t-il de rester ou de partir ; ou de vivre aussi vieux qu'une tortue. Et puisque le temps historique n'a rien à voir avec le temps cosmique, Sana est en fait contemporaine d'Ève. Les eaux du Nil nous porteront un jour quelque chose de nouveau qu'il ne faudra pas nommer ; la voix de l'ombre le félicita... Il se peut que j'entende une nuit cette même voix m'ordonner quelque action extraordinaire qui stupéfiera ceux qui ne croient pas aux miracles. La science a eu son mot à dire en ce qui concerne l'astrologie, mais les étoiles ne sont en vérité que des individus d'un autre monde, qui ont préféré la solitude, éloignés les uns des autres par des milliers d'années-lumière. Ô toi, qui ou quoi que tu sois, fais quelque chose car le néant nous a broyés.

Ahmad Nasr lui demanda avec tendresse :

« Est-ce que tu trouves le temps d'étudier ? »

Ragab répondit à sa place :

« Bien sûr, et elle est en plus passionnée par l'art ! »

Elle le menaça de l'index en répliquant :

« Ne fais pas de moi un sujet de conversation pour la soirée.

— Malheur à celui qui ferait une chose pareille ! »

Ahmad Nasr reprit :

« Tu veux devenir actrice ?»

Elle acquiesça d'un sourire.

« Mais... »

Ragab l'interrompit :

« Tais-toi, espèce de réactionnaire, et je pèse mes mots ! »

Il prit son menton entre ses doigts, attira son visage vers lui et lui dit en l'examinant avec intérêt :

« Laisse-moi étudier ton visage; il est beau ; le regard recèle une force secrète, comme une datte sucrée cache un dur noyau, un regard de mineure, qui, en fronçant les sourcils, laisse apparaître une perfidie toute féminine... Quel rôle pourrait donc t'aller ? Peut-être celui de la jeune fille dans le film *Le Mystère du lac* !

— Quel est ce rôle exactement ? lui demanda-t-elle, intriguée.

— Une jeune Bédouine est amoureuse d'un fourbe

chasseur, de ceux pour qui l'amour n'est qu'un divertissement. Au début, il la traite avec désinvolture mais, peu à peu, elle le mate et le mène à la baguette...

— Vraiment, tu crois que le rôle m'irait ?

— Je vous présente un talent artistique qui séduira à la fois les producteurs et les distributeurs ; un instant s'il vous plaît, tends les lèvres, montre-moi comment tu embrasses, sans honte, la honte est l'ennemi de l'acteur, devant tout le monde, un vrai baiser, un baiser après lequel la situation internationale devrait s'améliorer... »

Il l'entoura de ses bras longs et puissants et l'embrassa passionnément, dans un silence total, pas même troublé par les glouglous du narguilé... Mustafa Rachid s'écria soudain :

« Voilà une parcelle de l'absolu que je me tue à rechercher ! »

Khalid Azzuz, débordant d'enthousiasme, renchérit :

« Messieurs, je vous félicite, réjouissons-nous ensemble, il nous faut célébrer ce moment historique exceptionnel ; nous pouvons dire sur l'heure que le fascisme est définitivement vaincu et le postulat d'Euclide aboli... Sana, accepte sans fioritures, dès maintenant et à jamais, toute mon admiration... »

Layla Zaydan déclara, souriante :

« Laisse à d'autres ces discours, je t'en prie...

— La jalousie n'est pas un vice, comme le prétendent les ignorants, mais un héritage féodal ! » dit-il en s'excusant.

Je ne suis pas une putain. Malédiction ! Ô la senteur lourde du Nil et les exhalaisons d'un voyage boueux et accablant... Il y a au Brésil un arbre millénaire qui a jailli de la croûte terrestre avant même que les pyramides n'existent. Suis-je seul parmi tous ces haschaschins à me rire de cette vague d'indifférence ? Suis-je seul à l'entendre lorsqu'elle murmure : « Si tu frappes quarante coups à la porte, tes souhaits les plus secrets se réaliseront » ? Quand donc jouerai-je au football avec le système solaire ? On m'a poussé un jour dans une lutte sanglante, alors que je voulais départager les combattants...

Une chauve-souris couleur de plomb fendit l'air au-delà du pont. Anis se mit à contempler les ciselures du plateau de cuivre, cercles entrelacés, séparés par des espaces incrustés de paillettes d'argent, ternies par les cendres du narguilé. Puis il s'abandonna au sommeil un court moment, à l'endroit même où il était assis. Lorsqu'il ouvrit les yeux, Mustafa Rachid et Ahmad Nasr s'en étaient allés. La pièce donnant sur le jardin s'était refermée sur Layla et Khalid, celle du milieu sur Saniyya et Ali as-Sayid... Ragab et Sana, quant à eux, bavardaient à voix basse, debout sur le pont. Seule sa chambre était encore libre, mais il se dit qu'elle lui claquerait probablement sa porte au nez cette nuit... Les amoureux se querellaient doucement :

« Je ne peux pas...

— Je ne peux pas ? Ce n'est pas une réponse de nos jours !

— Je devais étudier chez une amie...

— Chez un ami ce serait mieux ! »

Il étendit la jambe et heurta le narguilé, qui se renversa, répandant son liquide noirâtre jusque sur le seuil du pont. Rien n'est important. Même le bien-être n'a aucun sens. Et l'homme n'a pas encore inventé quelque chose de plus véridique que la comédie. La silhouette de Am Abdu masqua la lueur de la lampe, envahie de moustiques.

« C'est l'heure ?

— Oui. »

Il se mit à rassembler les ustensiles et balaya les cendres avec une attention soutenue, puis regarda Anis, intrigué :

« Vous n'allez pas dans votre chambre ?

— Elle est occupée par une nouvelle fiancée !

— Ah !

— Cela ne te plaît pas ?

— Les filles sur la corniche du Nil sont plus douces et moins chères... »

Anis partit d'un long rire qui se répercuta sur la surface du Nil :

« Ignorant ! Crois-tu donc que ce soit la même chose ?

— Ont-elles plus de bras et de jambes ?

— Bien sûr que non, mais ce sont des dames respectables...

— Ah bon !

— Elles ne se vendent pas, mais elles donnent et prennent autant que les hommes.

— Ah !

— Ah...

— Et c'est pour cela que vous allez dormir sur le pont, jusqu'à être lavé par l'humidité ?

— Comme c'est beau ! être lavé par l'humidité !... »

Il s'éloigna en saluant : « Je vais faire la prière de l'aube... »

Anis contempla les étoiles et entreprit d'en compter le plus grand nombre possible, se perdant dans cette tâche, jusqu'au moment où une brise parfumée lui parvint des jardins du palais.

Haroun al-Rachid est assis sur de moelleux coussins, sous un abricotier, et les esclaves musiciennes jouent devant lui. Toi, tu lui verses le vin d'une carafe d'or. La silhouette du Commandeur des croyants s'éclaircit jusqu'à devenir plus limpide que l'air, et il te dit : « Que m'offres-tu ? »

Tu n'avais rien et tu répondis : « Je suis mort. » Mais l'esclave pinça les cordes de son luth et chanta :

Je me souvins des jours d'intimité, puis il se pencha
Sur mon cœur, craignant qu'il ne soit brisé.
Ces secrètes veillées point ne te reviendront
Mais les larmes de tes yeux jailliront.

Al-Rachid, saisi par le charme de la musique, se mit à frapper des mains et des pieds... Je me dis que j'avais là l'occasion de m'enfuir, et je me retirai discrètement. Mais le garde géant m'aperçut ; il se dirigea vers moi, brandissant son sabre. J'ai hurlé, implorant le Prophète et sa famille ; mais il a juré de me jeter en prison parmi eux...

5

Anis s'abandonna au crépuscule, revigoré par une douche froide. Une douce langueur et un calme parfait envahirent l'atmosphère ; les vols de pigeons dessinaient sur le Nil de blancs horizons. S'il lui avait été possible de convier le directeur sur la péniche, il aurait trouvé la paix, en harmonie avec le couchant, et aurait retiré de son étreinte de bronze, les douloureuses épines. Il but la dernière gorgée de café noir mêlé de magie, et en lapa le marc.

Les amis commencèrent à arriver l'un après l'autre, suivis de Sana et Ragab. Tout au long de la semaine, ils ne s'étaient pas quittés ; Sana avait fini par s'habituer au narguilé, au point qu'Ahmad Nasr, inquiet, glissa un jour à l'oreille de Ragab : « Elle est bien jeune ! » ; mais ce dernier lui répondit à voix basse, le coude appuyé sur les genoux d'Anis : « Je ne suis pas le premier artiste dans sa vie ! »

Layla Zaydan se mit à répéter : « Malheur à celle qui respecte l'amour à une époque où il est méprisé ! »

Ahmad Nasr ne trouva que le pacifique Anis à qui

confier ses pensées secrètes, il se pencha vers lui en murmurant :

« C'est beau de voir la putain d'hier se prétendre philosophe aujourd'hui!

— C'est hélas ce à quoi tend la philosophie d'une façon générale... », rétorqua Anis.

Ali as-Sayid claqua des doigts pour attirer l'attention et dit sans plaisanter :

« À propos, il faut que je vous transmette un message avant que vous ne soyez complètement partis... »

Quelques regards se tournèrent vers lui, et il déclara d'une voix claire :

« Samara Bahgat désire rendre visite à la péniche ! »

Tous les yeux convergèrent vers lui, parfaitement attentifs, même ceux d'Anis, bien qu'il continuât de s'activer.

« La journaliste ?

— Ma très intelligente et belle amie ! »

Il y eut un silence, où chacun tenta d'assimiler la nouvelle. Les regards se teintèrent d'obscures lueurs, Ahmad Nasr finit par demander :

« Pourquoi veut-elle venir ?

— Je suis responsable de son intérêt soudain pour vous, à cause de mes bavardages au sujet de la péniche !

— Tu as la langue bien pendue, pour sûr, mais ta maîtresse aime-t-elle vraiment les péniches ? s'étonna Ragab al-Qadi.

— Ce n'est pas du tout cela, mais elle a entendu parler de plus d'un d'entre vous ; de Khalid Azzuz, à cause de ses livres, ou de toi par tes films...

— A-t-elle une idée de ce qui se passe ici ?

46

— Approximative, oui, mais du fait de son travail et de son expérience, nous ne l'étonnerons guère.

— D'après ce qu'elle écrit, elle est sérieuse à faire peur.

— Peut-être l'est-elle aussi dans la vie, mais tout être possède en lui quelque chose qui aspire à de banales relations humaines... »

Ahmad demanda avec un rien d'appréhension :

« A-t-elle déjà fait des virées de ce genre ?

— Je pense que oui. Elle est très cordiale et liante avec les gens...

— Mais elle va aliéner notre liberté ! ajouta Ahmad Nasr.

— Non, non, non, ne vous faites pas de souci à ce propos...

— Participera-t-elle à toutes nos activités ?

— Jusqu'à un certain point ; je veux dire, à tout ce qui est innocent...

— Innocent ! Cela veut dire que nous allons faire les frais d'une enquête journalistique !

— Elle vient faire connaissance, voilà tout ! dit-il avec assurance.

— Ne t'inquiète plus à ce sujet, sinon tu vas gâcher tous les effets du haschisch ! »

Il se souvint alors de la manière dont les Persans avaient accueilli la nouvelle des premières conquêtes arabes, et il sourit. Il aperçut sur le plateau quelques moustiques morts, une question lui vint alors à l'esprit :

« À quelle espèce appartiennent les moustiques ? »

La question fit dans leurs cerveaux une intrusion

contrariante, mais Mustafa Rachid répondit, ironique :

« À l'espèce animale mammifère. »

Ali as-Sayid, changeant de sujet, déclara :

« Le messager ne fait qu'informer, et si vous n'avez pas envie de la convier... »

Mais Ragab l'interrompit :

« Nous n'avons pas encore entendu l'opinion de l'autre sexe ! »

Layla Zaydan et Saniyya Kamil ne firent pas d'objections, et Sana déclara :

« Laissons Anis, Ahmad et Mustafa décider, puisque ce sont eux qui ont besoin d'une compagne ! »

Mais Ali as-Sayid s'insurgea contre cette idée et s'écria :

« Non ! c'est une erreur de penser à cela, ne me mettez pas dans l'embarras, je vous en conjure ! »

Sana demanda, tout en écartant du bout des doigts une mèche égarée sur son front :

« En fait, pourquoi veut-elle venir ?

— J'en ai assez dit... »

Anis reprit :

« Si les moustiques sont des mammifères, qu'est-ce qui te permet d'affirmer que ton amie n'est pas de cette espèce-là ? »

Ali as-Sayid ne releva pas et s'adressa à l'assemblée :

« Votre liberté est assurée à tous égards, paroles ou actions, fumeries ou obscénités ; il n'y aura ni enquête, ni étude, ni ruse de journaliste, vous pouvez avoir entièrement confiance... Mais il ne s'agit pas de se comporter avec elle comme avec une femme légère. »

Saniyya demanda d'un ton tranchant :

« Qu'entends-tu par femme légère ?

— Je veux dire que c'est une demoiselle respectable, comme n'importe laquelle d'entre vous, et elle n'accepte pas d'être traitée comme une femme frivole...

— À vrai dire, je n'y comprends rien ! déclara Ahmad Nasr.

— C'est toujours ce à quoi il faut s'attendre de ta part, ô toi, relique du XIXe siècle ; alors que les autres me comprennent tous sans aucune difficulté... »

Khalid Azzuz reprit :

« Peut-être qu'en dépit de ses articles hebdomadaires, c'est une vraie bourgeoise.

— La bourgeoisie n'a rien à voir là-dedans...

— Donne-nous donc son C.V., ce sera plus utile ! demanda Mustafa Rachid.

— Bon ! Elle a vingt-cinq ans et une licence d'anglais qu'elle a obtenue lorsqu'elle avait un peu moins de vingt ans ; c'est une journaliste remarquable, très mûre pour son âge, porteuse de possibilités littéraires que l'on aimerait voir se réaliser un jour. Elle est de celles qui prennent la vie très au sérieux, bien qu'elle soit aussi d'agréable compagnie. Enfin, avec le peu qu'elle gagne, tout le monde sait qu'elle a refusé un mari de la haute bourgeoisie...

— Pourquoi ?

— C'était un homme d'une quarantaine d'années, directeur de société, propriétaire d'immeubles, tout comme Khalid Azzuz ; de plus, un parent du côté de son père... Mais je crois qu'elle ne l'aimait pas...

— Si on la juge à sa plume, c'est une extrémiste..., déclara Khalid.

— Disons plutôt qu'elle est progressiste ; mais elle est sincère et fidèle à ses principes.

— A-t-elle déjà été arrêtée ?

— Bien sûr que non, et c'est mon amie depuis qu'elle travaille pour le magazine *Kullu Chay'*.

— Peut-être a-t-elle été arrêtée lorsqu'elle était étudiante ?

— Je ne pense pas. Si elle l'avait été, je l'aurais appris au cours de nos longues conversations... De toute façon, je ne peux pas trancher. »

Sana demanda alors :

« Qu'est-ce qui vous force à inviter une femme dangereuse, et qui ne peut en aucun cas nous amuser ?

— Elle doit venir, répondit Layla Zaydan, nous avons besoin de sang frais... »

Ali as-Sayid déclara :

« Mettez-vous d'accord ; elle est au club en ce moment, et si vous voulez, un coup de téléphone et je l'invite...

— Est-ce que tu lui as dit que c'est la mort qui nous réunit ici ? » demanda Anis.

Il ne lui répondit pas, mais proposa de voter. Anis sourit à des souvenirs momifiés. Il suggéra de faire participer Am Abdu au vote. Ragab enlaça Sana, tandis qu'Ali as-Sayid se dirigeait vers le téléphone.

6

Une demi-heure après le coup de téléphone, Ali as-Sayid sortit pour l'accueillir. La péniche ne tarda pas à glisser légèrement sur le fleuve, frémissant sous le choc des pas sur la passerelle. Ahmad Nasr aurait souhaité cacher le narguilé et tout le matériel, afin de tranquilliser les cœurs confrontés à la visiteuse, mais Ragab al-Qadi, se tournant vers Anis, lui lança négligemment :

« Vas-y ! tasse-la bien ! »

Elle surgit de derrière le paravent, le visage souriant. Elle s'avança, suivie d'Ali as-Sayid, affrontant les regards avec un calme amical, sans la moindre gêne. Tous les hommes se levèrent, même Anis, qui remonta sa galabiah blanche sur ses jambes pour ne pas trébucher. Ali as-Sayid fit les présentations. Ahmad Nasr proposa qu'on lui avance une chaise, mais elle dit préférer s'asseoir sur un matelas, et Ragab, dans un mouvement involontaire, se serra contre Sana, pour lui faire place à ses côtés ! Anis reprit sa besogne en lui jetant des regards furtifs. Après tout ce qu'il avait entendu dire, il s'attendait à quelque chose d'exceptionnel. Son air extrêmement séduisant laissait transparaître une forte personnalité. Il remarqua, malgré la lourdeur de ses paupières, sa peau naturellement très brune, ses traits réguliers et son élégance simple. Dans son regard brillait une intelligence qui la préservait des regards trop curieux. Il eut l'impression de l'avoir déjà vue, mais à quelle époque d'une ère révolue ? Était-elle reine ou sujet ? Et lorsqu'il la regarda à nouveau à la dérobée, il la vit différente. Il essaya de cerner son image, mais l'effort de concentration l'épuisa, et il tourna son regard vers le Nil.

Après le tumulte des présentations et des politesses habituelles, le silence s'installa. Le chant des grillons se joignit aux glouglous du narguilé. Samara, avec tact, ne laissait paraître, envers celui-ci, aucune méfiance. Et lorsque Anis le lui tendit, elle porta l'embout à ses lèvres, sans fumer, en guise de salut, puis elle le fit passer à Ragab, qui le saisit en disant :

« Mettez-vous à votre aise... »

Elle se tourna vers lui :

« Je vous ai vu dans votre dernier film, *L'Arbre sans fruits*, et j'ai trouvé que vous jouiez admirablement votre rôle... »

Il n'était pas modeste au point de rougir d'un compliment, mais il demanda pourtant avec méfiance :

« C'est ce que vous pensez vraiment ou s'agit-il d'une simple politesse ?

— Mon opinion, bien sûr, et celle de millions d'autres gens ! »

Anis regarda Sana à travers la fumée et la vit qui lissait les boucles rebelles de ses cheveux. Il sourit...

Bien que le directeur général possède les pleins pouvoirs prévus par la loi des finances et de l'administration, sa compétence ne s'étend pas aux entrées et aux sorties ; en outre, il y a des milliers d'étoiles filantes qui fusent au-dessus des planètes, avant de se consumer et de se disperser dans l'atmosphère, sans passer par les archives ni être enregistrées dans le classeur des entrées et des sorties ! Quant à la souffrance, seul le cœur la connaît.

Samara s'adressa soudain à Khalid Azzuz :

« La dernière chose que j'ai lue de vous, c'est le *Conte du joueur de flûte.* »

Khalid ajusta ses lunettes en disant :

« Celui dont la flûte s'est changée en serpent... »

Mustafa Rachid ajouta :

« Depuis la parution de ce livre il mérite vraiment d'être appelé Khalid le python !

— C'est une histoire étrange et merveilleuse... »

Ali as-Sayid reprit :

« Notre ami est la vedette de l'école de l'art pour l'art, aussi ne vous attendez pas que surgisse de notre péniche une autre forme d'art ! »

Mustafa Rachid ajouta :

« D'ici peu en jaillira la littérature de l'irrationnel, mieux connue sous le nom de littérature de l'absurde...

— Mais l'absurde était abondamment répandu parmi nous avant même de devenir un art ! s'exclama Ragab, votre ami Ali as-Sayid est célèbre pour ses rêves absurdes ; Mustafa Rachid court après l'absurde au nom de l'absolu, et le chef de cette péniche a fait de sa vie tout entière une absurdité depuis qu'il a quitté le monde, il y a environ vingt années de cela... »

Samara rit sans retenue.

« L'oracle m'avait prédit que je trouverais chez vous des choses étranges et merveilleuses !

— Est-ce vraiment l'oracle, ou les commérages d'Ali as-Sayid ?

— Il ne m'a dit que du bien...

— Après tout, notre péniche n'est pas la seule en son genre !

— Peut-être... Mais les hommes sont nombreux, et rares ceux qui savent vivre une amitié.

— Une journaliste est bien la dernière personne que j'aurais crue capable de dire une chose pareille !

— Les gens ne nous voient souvent qu'au travers de clichés...

— Nous sommes là à vous accueillir avec sincérité et innocence, mais quand nous rendrez-vous la pareille ? » demanda Khalid Azzuz.

Elle sourit :

« Ayez confiance en moi, ou alors consacrez-moi le moins de temps possible ! »

Anis porta le foyer du narguilé sur le seuil du pont pour l'exposer aux courants d'air, après y avoir ajouté quelques morceaux de charbon. Il attendit. Le feu s'étendit bientôt et le charbon devint une braise incandescente, d'un rouge gai, profond et velouté. Des dizaines de languettes de feu éclatèrent, rougeoyantes, puis se propagèrent et s'unirent en une vague dansante, pure et transparente, couronnée d'une lueur fantastique et bleutée. Puis le feu crépita et de son cœur jaillit une gerbe d'étincelles... Des voix féminines retentirent, et il remit le foyer à sa place. C'est alors qu'il prit conscience de son amour démesuré pour le feu ; ce feu, plus beau que la rose, l'herbe et l'aube violette, et qui pourtant cache en lui le plus puissant pouvoir dévastateur. Si tu t'en sens encore la force, il faut que tu leur racontes l'histoire de l'homme qui a découvert le feu ; ce vieil ami qui avait le nez d'Ali as-Sayid, le magnétisme de Ragab al-Qadi et le gigantisme de Am Abdu... Où donc s'était enfuie cette curieuse idée dont tu voulais débattre avant de porter les braises sur le pont ?

Mustafa Rachid déclara :

« Je suis avocat, et le propre de l'avocat est d'être naturellement méfiant ; je suis à présent sur le point de deviner ce que vous pensez de nous...

— Je ne pense pas du tout ce que vous croyez...

— Vos articles abondent en critiques, et nous sommes, aux yeux de certains, l'image même du nihilisme !

— Non... Non, on ne juge pas les gens sur ce à quoi ils occupent leurs heures de loisirs. »

Ragab s'esclaffa :

« Disons plutôt leurs siècles de loisirs !

— Ne me rappelez pas que je suis une étrangère parmi vous ! »

Ahmad Nasr reprit :

« Il est de mauvais goût de faire de nous un sujet de conversation, lorsqu'il serait plus intéressant d'apprendre ce que nous ignorons de vous.

— Je ne suis pas une énigme.

— Et les articles d'un écrivain sont très révélateurs.... ajouta Ali as-Sayid.

— Est-ce le cas pour tes propres critiques ? » lui demanda Mustafa Rachid.

Un tonnerre de rires éclata, auquel Ali as-Sayid se joignit de bon cœur, avant d'ajouter, sans cesser de sourire :

« Je suis l'un de vous, bande de débauchés modernes. Vous ne m'en voudrez pas de vous ressembler !... Mais cette fille, elle, est malheureusement sincère... »

Khalid Azzuz reprit :

« Tout le monde prône le socialisme, tout en rêvant de richesses, et de mille et une nuits sur les péniches...

— Vous discutez souvent de ces choses-là ? demanda Samara.

— Pas du tout, mais nous les ressortons lorsque quelqu'un critique notre façon de vivre ! »

Anis appela Am Abdu ; le géant apparut et alla changer l'eau du narguilé en passant par la porte latérale. Samara ne le quitta pas des yeux et murmura, dès qu'il eut disparu :

« Quel séduisant géant ! »

Ali as-Sayid s'aperçut que c'était la seule personne qui ne lui eût pas été présentée sur la péniche.

« C'est un géant, pour sûr, dit-il, mais il est presque muet ; il fait tout ici, mais il ne parle que rarement. On le dirait vraiment toujours perdu dans l'instant présent, mais rien n'est moins sûr. Le plus étonnant est que pour le décrire tous les qualificatifs sont bons : il est à la fois fort et faible, présent et absent, proxénète et imam de la mosquée du coin ! »

Samara partit d'un grand rire avant de s'exclamer :

« À vrai dire, je l'ai aimé dès le premier regard !

— À quand notre tour ? » lança Ragab dans un élan de spontanéité.

Sana tourna vers le Nil un regard de fugitive, mais il l'enlaça dans un geste d'excuse. Plusieurs questions se bousculaient dans l'esprit d'Anis. Tous les amis qui étaient là ce soir s'étaient-ils déjà réunis, vêtus de costumes différents, à l'époque romaine ? Avaient-ils assisté à l'incendie de Rome ? Pourquoi la Lune s'était-elle séparée de la Terre, entraînant avec elle les montagnes ? Qui était donc l'homme de la Révolution française qui avait été tué dans sa baignoire par une jolie femme ? Combien de ses contemporains étaient-ils morts de constipation chronique ? Quand Adam s'était-il disputé avec Ève pour la première fois après avoir été chassé du Paradis ? Ève avait-elle essayé de rejeter sur lui la responsabilité du désastre qu'elle avait elle-même provoqué ?

Layla Zaydan se tourna vers Samara.
« Est-ce que vous gardez toujours les pieds sur terre ?
— Mes seules drogues sont le café et les cigarettes, rien d'autre... »
Mustafa Rachid soupira :
« Quant à nous, nous entendons parfois parler d'une campagne antidrogue, et nous nous demandons ce qui nous restera.
— À ce point-là ? »
Ragab se souvint alors qu'ils avaient aussi du whisky. Elle en accepta un verre et il se leva pour le lui préparer. Puis elle leur demanda le secret de leur lien avec le narguilé. Personne au début ne daigna répondre ; puis Ali as-Sayid finit par hasarder :
« Il est le pivot de nos réunions, qui sont, elles, notre vrai bonheur. »
Elle admit en hochant la tête que l'ambiance était agréable, et Saniyya Kamil lui lança soudain :
« Ne fuyez pas, vous avez votre mot à dire à ce sujet !

— Je ne veux pas répéter les éternels lieux communs, ni me perdre dans du théâtre à thèse !

— Mais nous aimerions connaître votre opinion ! dit Ahmad Nasr.

— Je la donne chaque semaine ! Mais vous tous pourquoi fumez-vous le narguilé ? »

Mustafa Rachid déclara :

« Nous travaillons pour gagner notre vie la première moitié de la journée ; ensuite, nous nous réunissons sur cette péniche pour qu'elle nous emmène dans l'au-delà ! »

Elle demanda, avec un intérêt non dissimulé :

« Vous vous désintéressez vraiment de ce qui se passe autour de vous ?

— Nous l'utilisons parfois comme matière à plaisanterie ! »

Elle sourit, peu convaincue, et Mustafa Rachid ajouta :

« Peut-être pensez-vous au fond de vous-même : " Ils sont égyptiens, arabes, humains, ils sont aussi cultivés, donc leurs soucis sont innombrables... " La vérité, c'est que nous ne sommes ni égyptiens, ni arabes, ni humains. Nous n'appartenons à rien ni à personne, si ce n'est à cette péniche... »

Elle rit, comme on rit d'une bonne plaisanterie, mais Mustafa Rachid reprit :

« Les flotteurs sont toujours en bon état, les cordes et les chaînes sont solides, Am Abdu veille, le narguilé est chargé, nous n'avons donc aucun souci à nous faire...

— C'est un discours irrationnel !

— Pourquoi ? »

Elle réfléchit un instant puis se reprit :

« Je ne me laisserai pas entraîner au bord de

l'abîme, certainement pas, je ne me permettrai pas d'être aussi antipathique que du théâtre à thèse...

— Ne prenez pas les paroles de Mustafa au pied de la lettre, dit Ali as-Sayid, nous ne sommes pas égoïstes à ce point, mais nous voyons la péniche voguer sans qu'elle ait besoin de notre opinion ou de notre aide, et penser n'y ajouterait rien, sinon peut-être les soucis et l'hypertension. »

L'hypertension... Comme une denrée fictive... L'étudiant en médecine est malade d'illusions dès la première année d'études. Le directeur général lui-même n'est pas pire que la salle de dissection. Le premier cours de dissection... Comme la première expérience de la mort sur ce que tu possèdes de plus sacré... Cette visiteuse est intéressante avant même qu'elle ne parle. Elle est belle et sent bon. Et la nuit est mensongère après une journée négative. Lorsque l'aube viendra, les langues se tairont. Mais de quoi essaies-tu en vain de te souvenir ce soir?

Khalid Azzuz s'adressa à Samara :
« Votre plume montre une aptitude naturelle à la littérature...
— Mais elle ne s'y est pas encore essayée.
— Vous avez certainement un projet d'avenir ?
— Je suis passionnée de théâtre.
— Et le cinéma ? protesta Ragab.
— Il est bien loin de mes aspirations !
— Les pièces de théâtre ne sont que des mots ! s'écria Ragab.

— Tout comme notre péniche ! déclara Mustafa Rachid en souriant.

— C'est le contraire qui est vrai, le théâtre est une mise au point et chaque mot doit avoir un sens précis.

— C'est là la différence essentielle entre lui et notre péniche ! »

Ses yeux rencontrèrent ceux d'Anis, qui faisait passer le narguilé, et ce fut comme si elle s'apercevait soudain de sa présence :

« Pourquoi ne parlez-vous pas ? »

Elle essaie de t'appâter pour te dire au moment critique : « Je ne suis pas une putain. » Elle me rappelle quelque chose dont je ne me souviens plus. Il est possible qu'elle soit Cléopâtre, ou la vendeuse de tabac de la rue des Sycomores. Elle est née sous le signe du Scorpion. Ne sait-elle pas que j'ai rendez-vous avec une idée abstraite de nature érotique ?

Mustafa Rachid s'excusa pour lui :

« Celui qui travaille ne parle pas !

— Pourquoi est-il le seul à travailler ?

— C'est son passe-temps préféré, et il ne laisserait personne l'aider. »

Ragab al-Qadi déclara :

« C'est le chef de notre péniche et nous le nommons parfois " Détenteur de la Grâce " ; à côté de lui, n'importe quel chevalier d'entre nous n'est qu'un amateur débutant. D'ailleurs, il ne se réveille jamais...

— Il est au moins éveillé le matin, en se levant ?

— Seulement quelques minutes, le temps de crier qu'on lui apporte un café sans sucre. »

Elle se tourna vers l'intéressé, le pressant de répondre :

« Dites-moi vous-même ce que vous faites ces quelques minutes ?

— Je me demande pourquoi je vis, dit-il sans lever les yeux sur elle.

— Fantastique ! Et que répondez-vous ?

— La plupart du temps, je suis dans les nuages avant de pouvoir répondre ! »

Ils rirent à gorge déployée, et il rit avec eux. Puis il promena son regard sur les femmes, à travers la fumée épaisse. Aucune ne montrait de sympathie pour la visiteuse...

Il y a là un lion qui dévore sa proie, jetant les os aux autres. Et les os de la nouvelle venue sont emplis d'une mauvaise moelle... Mais tant que les moustiques sont des mammifères, nous n'avons rien à craindre... En vérité, si les planètes ne tournaient pas autour du soleil, nous connaîtrions l'éternité...

Ragab consulta sa montre et dit d'un ton sérieux :

« Il est temps que nous cessions de délirer. Cette nuit marque un tournant dans notre vie. Pour la première fois, un être responsable nous honore de sa présence, et possède ce qu'aucun d'entre nous ne possède ; et, qui sait, peut-être trouverons-nous au fil des jours les réponses aux nombreuses questions qui restent encore insolubles ! »

Elle demanda, méfiante :

« Vous moquez-vous de moi, monsieur Ragab ?

— À Dieu ne plaise ! je bâtis simplement un immense espoir sur votre assimilation à notre groupe !

— C'est également mon souhait, et je ne manquerai pas l'occasion de le réaliser. »

Une sensation de défaite et de résignation envahit l'atmosphère, et ils se préparèrent à partir. La malédiction qui met fin à toute chose s'installa. Est-ce là l'idée qui a défié sa mémoire si longtemps ? Dans le foyer du narguilé, il ne reste plus que des cendres. Ils s'en furent, tour à tour, et il resta seul avec sa solitude. Une autre nuit se meurt. Elle l'observe par-delà le pont.

Voilà Am Abdu qui vient ranger.

« Tu as vu la nouvelle visiteuse ?

— Autant que ma vue défaillante me l'a permis !

— On dit qu'elle est de la police !

— Ah ! »

Lorsqu'il fit mine de partir, il le rappela :

« Il faut que tu me trouves une fille convenable dans cette obscurité.

— Il est très tard et il n'y a personne dans les rues.

— Grouille-toi, espèce de monument...

— J'ai déjà fait mes ablutions pour la prière de l'aube...

— Tu te veux plus éternel que tu ne l'es déjà ? Allez ! Vas-y ! »

Il ramassa dans un cendrier le mégot d'une cigarette qu'elle avait fumée au cours de la soirée. Il n'en restait que le filtre orangé et un bout blanc écrasé. Il le considéra longuement puis le reposa à sa place, au milieu d'un halo de moustiques morts. Le Nil exhalait une senteur aquatique aux accents féminins. Il lui vint à l'idée de se distraire en comptant les étoiles, mais la force lui manqua.

S'il n'y avait personne dans les étoiles qui se préoccupât d'observer notre planète et d'étudier nos aspects étranges, nous serions perdus. Je vois d'ici comment l'observateur commentera notre riante réunion, unie d'abord, puis s'effritant soudain. Il dira qu'il y a là de minuscules rassemblements qui crachent une poussière que l'on trouve en abondance dans la couche atmosphérique des planètes et dont sortent de vagues sons qui resteront inintelligibles tant que nous ne nous serons pas fait une idée de leur formation. La taille de ces rassemblements varie du simple au double, ce qui montre qu'ils peuvent s'agrandir de manière autonome ou par un apport extérieur. C'est pour cela qu'il n'est pas impossible de trouver un genre de vie élémentaire sur cette planète froide, contrairement à ce que disent ceux qui croient impossible la présence d'une forme de vie, ailleurs que dans les atmosphères ardentes... Ce qu'il y a d'étrange, c'est que ces minuscules rassemblements se font et se défont de façon répétitive, sans but précis, ce qui pourrait servir la thèse de l'inexistence d'une vie, au sens vrai du terme, au moins.

Il releva sa galabiah sur ses jambes poilues et rit tout haut, afin que l'observateur puisse le voir et l'entendre. Puis il s'écria : « Bien sûr que nous avons la vie, et nous nous sommes tués à essayer de comprendre, jusqu'au moment où nous avons réalisé que la vie n'a pas de sens... Et nous chercherons encore et encore, mais personne ne pourra prédire ce qui va se passer. Nous ne serons pas moins étonnés que

63

Jules César, quand la déesse immortelle fondit sur lui du haut de son tapis volant et qu'il demanda, stupéfait : « Qui es-tu, ô déesse ? » Elle répondit, confiante en sa beauté : « Je suis Cléopâtre, reine d'Égypte ! »

7

Anis s'accouda à la balustrade pour contempler le paisible coucher de soleil. La brise le caressait, légère, s'insinuant par l'échancrure de sa galabiah, apportant, dans un parfum d'eau et de plantes, la voix d'Am Abdu qui disait la prière, non loin de la péniche. La saveur du café sans sucre était encore sur ses lèvres. Son imagination était encore pleine de la vision d'Ibn Touloun[1] qui avait parcouru son époque, quelques heures auparavant, juste avant la sieste. Pendant le court laps de temps qui suivait l'absorption du café, et qui précédait l'extase, il s'attendait d'habitude que quelque chose se passât ; une obscure tristesse l'envahit sans raison. Mais un tressaillement fit danser la péniche et il se demanda qui pouvait être ce visiteur précoce. Il se dirigeait vers le salon, lorsque surgit de derrière le paravent Samara Bahgat. Elle s'approcha, souriante, et il la considéra avec étonnement avant de la saluer. Elle s'excusa de venir si tôt, mais il l'accueillit avec une

1. Fondateur de la dynastie des Toulounides d'Égypte (835-884). Il construit à Fustât (le vieux Caire) une des plus belles mosquées de la ville, qui porte toujours son nom.

cordialité sincère. Elle se dirigea vers le pont avec exaltation, comme si elle se trouvait pour la première fois en contact direct avec le Nil, promenant sur la langueur du couchant un regard réjoui. Elle s'attarda à contempler les acacias dont les fleurs aux couleurs vives s'harmonisaient sur fond de ciel rouge et mauve.

Elle se tourna vers lui ; son regard curieux rencontra le regard effronté d'Anis, et il l'invita à s'asseoir. Mais elle se rendit d'abord dans la bibliothèque, à gauche de l'entrée, et parcourut les étagères avec intérêt, puis elle revint et s'installa près de la place habituelle d'Anis, au centre même du croissant. Il s'assit à son tour, et renouvela ses souhaits de bienvenue pour cette visite heureuse et bénie, après une absence d'une semaine. Puis il se mit à comparer ses vêtements simples, chemisier blanc et jupe grise, avec sa galabiah blanche, et il se dit que ce devait être à cause de son métier ou de son sérieux, que l'encolure de son chemisier ne découvrait rien du creux des seins, contrairement aux autres femmes... Soudain, elle demanda :

« Avez-vous vraiment été époux et père de famille ? »

Sans lui laisser le temps de répondre, elle se ravisa et demanda pardon pour son indiscrétion, en prétextant qu'Ali as-Sayid avait évoqué cela dans un de ses commentaires sur ses amis...

Il acquiesça d'un hochement de tête et, lisant une curiosité grandissante au fond de ses beaux yeux couleur de miel, il répondit à son attente :

« J'étais étudiant, venu de ma campagne, seul au Caire... La mère et l'enfant sont morts en un mois d'une même maladie. »

Puis il ajouta, simplement :

« Il y a vingt années de cela... »

Il se souvint alors de l'histoire de la mouche et de l'araignée et pensa avec dépit qu'il avait à peine commencé son « voyage ». Elle hésita à prononcer quelque oraison funèbre, mais lui fit connaître ses sentiments par un long silence. Elle se tourna vers la bibliothèque :

« On m'a dit que vous étiez féru d'histoire et de culture, mais si je ne me trompe, vous n'écrivez pas ? »

Il haussa ses sourcils épais, en harmonie avec l'aplat de son large et long visage au teint blafard, et afficha un air à la fois goguenard et désapprobateur. Souriante, elle demanda :

« Pourquoi avez-vous arrêté vos études ?

— Je n'ai pas eu la chance de réussir, et je n'avais plus de revenus ; j'ai demandé un poste de fonctionnaire au ministère de la Santé par l'intermédiaire d'un de mes anciens professeurs...

— Peut-être que travailler n'est pas ce qui vous convient ?

— Je ne regrette rien. »

Il consulta sa montre, versa un peu d'alcool à brûler sur le charbon, y craqua une allumette, puis il porta le foyer sur le pont. Elle reposa sa question :

« Ne vous sentez-vous pas un peu seul, et ne croyez-vous pas que... »

Il l'interrompit en riant :

« Je n'ai guère de temps pour cela ! »

Elle rit à son tour :

« De toute façon, je suis contente, car je vous ai trouvé à jeun cette fois !

— Je ne le suis pas tout à fait... »

Elle suivit son regard fixé sur le charbon qui commençait à brûler et sourit. Il lui indiqua la tasse de café dont il ne restait plus que le marc. Elle se rendit à l'évidence, puis alla rendre hommage à la vie sur le Nil... Il lui confia qu'il était relativement jeune par rapport à cette si merveilleuse vie...

« Nous avons vécu dans de nombreux appartements, et nous n'avons jamais pu échapper à la curiosité des voisins ! »

Il émit un rire neuf et saccadé dont l'envolée légère trancha avec ce qui l'avait précédé. Elle le regarda, intriguée, et il s'exclama en riant :

« Le voyage a commencé ! Tu as de beaux yeux !

— Mais je ne vois pas le rapport ! »

Il répondit d'un ton convaincu :

« Il n'y a aucun rapport entre les choses...

— Même pas entre un coup de feu et la mort d'un homme ?

— Même pas. La balle est une invention réelle, tandis que la mort...

— Tu sais, dit-elle en riant, je suis venue tôt pour être seule avec toi !

— Pourquoi ?

— Parce que tu es le seul qui ne parle pas ! »

Il fronça les sourcils, mais elle insista :

« Même si tu te parles tout le temps ! »

Le silence les sépara. Il se mit à scruter l'épaisseur de la nuit. Il prit soudain conscience que l'arrivée prématurée de la jeune femme l'avait privé de la contemplation du soir qui tombait lentement, mais il ne regrettait rien. Une toux familière résonna au-dehors.

« C'est Am Abdu », murmura-t-il.

Elle se mit à parler du vieil homme avec intérêt, posant une avalanche de questions. Il lui répondit simplement qu'il ne tombait jamais malade, que rien n'avait de prise sur lui, qu'il ne savait pas son âge, et qu'il s'imaginait qu'il ne mourrait jamais...

« Si je vous invitais tous au *Sémiramis* [1], est-ce que vous accepteriez ? »

Il répondit avec un rien d'appréhension :

« Je ne pense pas, et en ce qui me concerne, c'est impossible... »

Il ajouta qu'il ne quittait la péniche que pour se rendre aux archives.

« Il est clair que je ne vous plais pas ! dit-elle.

— Tu es plus douce que les gouttes de rosée ! »

La nuit était tombée. La péniche vibra sous les pas, et le vacarme envahit la passerelle. Samara s'effraya du tangage, mais il la rassura :

« Nous vivons sur l'eau, et le moindre pas nous fait osciller... »

Les amis surgirent l'un après l'autre. Ils s'étonnèrent de la présence de Samara, mais la saluèrent chaleureusement. Saniyya Kamil interpréta son arrivée prématurée à sa manière et félicita Anis d'un air taquin ! Les mains de celui-ci ne tardèrent pas à se mettre à l'œuvre et le narguilé circula bientôt. Ragab al-Qadi servit un verre de whisky à Samara. Anis surprit le regard que lança Sana à la jeune femme, derrière ses boucles brunes, et il sourit. Il contempla les braises incandescentes avec jubilation. Il tendit le narguilé à Samara, mais elle le refusa, faisant échouer sa tentative malicieuse. Quelques instants,

1. Palace du Caire, sur les berges du Nil.

on n'entendit plus que les glouglous du narguilé, puis les conversations reprirent. L'aviation américaine a bombardé le Nord-Viêt-nam... Comme pendant la crise de Cuba, vous vous souvenez ? Les rumeurs vont bon train... Le monde court au bord d'un précipice... Les viandes, les coopératives alimentaires... Y a-t-il du nouveau pour les ouvriers et les paysans ? La corruption, les devises, le socialisme, les embouteillages dus à l'invasion des voitures... Anis pensa que tout cela se lovait au creux du narguilé avant de partir en fumée... Comme la mouloukhiyya[1] qu'Am Abdu faisait cuire. Notre vieil adage : « Si je n'étais point, je voudrais être... »

Quand le ciel s'embrase, l'observateur déclare qu'une étoile vient d'éclater, entraînant dans son explosion le système planétaire, le tout se désagrégeant en poussière. Cette fois-là, la poussière se répandit sur la terre et la vie en jaillit. Après cela, vous me dites que vous me retiendrez deux jours de mon salaire, ou que vous n'êtes pas une putain ! Al-Ma'arri[2] a résumé tout cela dans un vers que j'ai oublié, et cela n'a aucune importance. Il était aveugle, et il n'a pas vu Samara, qui était pourtant sa contemporaine...

« Mon mari tente une réconciliation !

1. La corette, c'est le plat national égyptien (avec le *foul*), préparé en soupe et accompagné de riz.
2. Abul Ala' al-Ma'arri (973-1058), surnommé « le philosophe des poètes et le poète des philosophes ». Aveugle dès l'âge de quatre ans, il est resté célèbre pour une œuvre pessimiste et sarcastique dont *Les Impératives* et *L'Épître du pardon* sont les deux titres les plus connus.

— À Dieu ne plaise ! »

Il était aveugle, donc il ne voyait pas. Le fil s'est rompu, engloutissant quelque chose de splendide... L'important, c'est de garder... Garder quoi ? Demain, nous aurons un travail épuisant pour la clôture des comptes... Dans la prison des archives... Le musée des insectes... Quant aux moustiques, ce sont des mammifères.

« Tu es vraiment une belle blonde, dans tous les sens du terme ! » dit Samara.
Khalid ajouta (il était clair qu'il parlait de Layla Zaydan) :
« Son vrai problème, qui est celui de la nation tout entière, est qu'elle est une femme moderne, alors que le mariage est une institution bourgeoise... »

Il contempla la nuit ; les lampes de la rive opposée glissaient sur les profondeurs du fleuve comme des colonnes de lumière. La brise apporta, d'une péniche lointaine et invisible, quelques bribes de chants et de musique, peut-être un mariage, comme le chantait Mohammad al-Arabi, ta nuit de noces...« Voyez cette merveille ! j'ai aimé une paysanne. L'oncle me dit : Dieu te garde, et que ta maison abrite une saine descendance, mais prends garde, car nous n'avons plus que deux feddans... » Comme le village était beau lorsque les jardins embaumaient du parfum des fleurs de bigaradiers, enivrant comme les senteurs lovées au creux du cou des femmes...

« En voilà une proposition ! »

Samara dit avec enthousiasme :
« Mais elle est belle, et authentique, cette institution !
— Que veux-tu dire au juste ?
— Je pense à la préoccupation première de l'individu.
— Est-ce une enquête journalistique ?
— Si vous doutez de moi, je m'en vais tout de suite ! »
Ahmad Nasr dit avec méfiance :
« Alors, commençons par toi, parle-nous de ton souci principal dans la vie ! »
La question ne sembla pas la surprendre et elle répondit, avec une simplicité pleine de franchise :
« Essayer d'écrire une pièce de théâtre.
— On n'écrit pas une pièce de théâtre sans être motivé ! » rétorqua Mustafa Rachid avec malice.
Elle inspira lentement une bouffée de sa cigarette, plissa les yeux, hésitante. Ali as-Sayid sourit, révélant sa complicité, et ajouta d'une voix encourageante :
« Notre péniche ne se prête qu'à l'ironie et à l'absurde, mais je crois que tu es une jeune femme solide, et tu dois relever le défi. »
Elle laissa errer son regard sur les braises, puis déclara :
« Soit ! la vérité, c'est que je crois au sérieux ! »
Les questions fusèrent : Quel sérieux ? Le sérieux au profit de quoi ? Est-il possible de croire à l'absurde avec sérieux ? Et si le sérieux implique que la vie ait un sens, quel est-il ?
Ragab s'écria :

« Vous avez devant vous une magicienne qui va transformer la comédie en un drame à thèse ! Mais y croyez-vous vraiment ?

— Je l'espère...

— Sincèrement, dites-nous comment ! Soyez sûre que nous accueillerons ce miracle à bras ouverts, du fond du cœur... »

Ils se remémorèrent les nobles bases sur lesquelles reposait jadis le Sens, et ils admirent qu'elles avaient disparu sans espoir de retour... Alors, sur quelles bases nouvelles bâtir le Sens ?

« Le vouloir vivre ! » dit-elle, laconique.

Ils échangèrent leurs points de vue. Le vouloir vivre était certainement quelque chose de solide, mais il pouvait mener à l'absurde. Et en fait, qui pouvait l'en empêcher ? Et pouvait-il suffire à engendrer un héros ? En outre, le héros se sacrifie au nom même du vouloir vivre, pour un motif plus exaltant pour lui que la vie, alors, comment ce concept merveilleux pourrait-il prendre forme ?

« Je veux dire qu'il faut aller à la recherche de ce vouloir vivre, et non d'un fondement auquel il est impossible de croire. Le vouloir vivre est ce qui nous fait vraiment nous cramponner à la vie, même si on se suicide moralement, et il est la base solide qui nous est offerte et celle qui pourrait nous permettre de nous dépasser.

— En fait, ta philosophie tient tout entière dans le proverbe " Il ne faut pas mettre la charrue avant les bœufs " ! s'exclama Mustafa Rachid.

— Il n'y a pas là de philosophie, c'est simplement ma préoccupation première... À votre tour, maintenant ! »

Soyez maudits ! Le pire ennemi de l'herbe, c'est la réflexion... Vingt narguilés sont sur le point de partir en fumée... Il n'y a rien qui paraisse plus inébranlablement ancré dans sa foi qu'un chêne. Comme si la persistance des moustiques était digne d'admiration ! Mais si les plaintes d'Omar al-Khayyam ont perdu de leur ardeur, alors dis adieu à la tranquillité... Tous ces maîtres d'ironie ne sont que des formes atomiques. Voilà que chacune d'entre elles se perd en un nombre limité de particules... Ils perdirent leur forme et leur couleur, puis disparurent totalement. On ne vit plus de trace d'eux à l'œil nu, et il n'y eut plus là que des voix.

La voix de Ragab al-Qadi :
« Mon premier souci est l'art. »
La voix de Mustafa Rachid :
« En vérité, le mien c'est l'amour, ou plus précisément, les femmes ! »
La voix de Samara, teintée de défiance :
« Est-ce là vraiment ta seule préoccupation ?
— Ni plus ni moins ! »
Sa voix entraîna celle d'Ali as-Sayid, qui répondit :
« Moi, c'est la critique d'art. »
La voix de Mustafa Rachid sarcastique :
« Paroles en l'air tout cela, son vrai souci c'est le rêve, le rêve en tant que tel, sans se soucier du contenu. Son métier, il l'exerce pour dire des politesses à ses amis, pour vilipender ses ennemis, ou sinon pour gagner quelque argent...
— Mais comment veut-il que son rêve se réalise ?
— Il s'en fiche éperdument. Et si le narguilé est bourré de tabac surfin, il frotte son horrible nez et

s'écrie : " Considérez, enfants, la distance parcourue par l'homme depuis l'âge des cavernes jusqu'à la conquête de l'espace ! Ô enfants de la fornication, vous vous divertirez parmi les étoiles, tels des dieux... ". »

Ce fut au tour d'Ahmad Nasr d'être interrogé et il déclara, hésitant :

« Mon premier souci est de ne manquer de rien ! »

La voix de Mustafa Rachid s'éleva, indiscrète :

« Celui-là, c'est une autre histoire, il est musulman ! il prie et il jeûne ; c'est un mari exemplaire qui reste aussi indifférent aux femmes de la péniche que les Égyptiens aux événements. Peut-être bien que son premier souci est de marier sa fille ! »

La voix de Khalid Azzuz ajouta :

« C'est le seul d'entre nous qui vivra après la mort... »

Anis se lassa de son isolement et appela Am Abdu pour changer l'eau du narguilé. Tandis qu'il officiait devant eux, ce géant était l'unique présence au milieu d'un néant sonore. Une voix décréta que son souci majeur était le souvenir, une autre, au contraire, que c'était l'oubli. Anis se demanda pourquoi les Tatars s'étaient arrêtés à la frontière...

La voix de Layla Zaydan jaillit :

« Je n'ai pas de préoccupations ! »

La voix de Khalid Azzuz renchérit :

« Ou bien, je suis sa seule préoccupation ! »

La voix de Saniyya Kamil dit alors :

« Mon seul souci, c'est que mon mari et moi divorcions, et que Ali as-Sayid et ses deux femmes en fassent autant... »

La voix de Samara tenta d'entraîner celle de Sana, mais en vain.

« Considère-moi comme sa première préoccupation ! dit la voix de Ragab.

— Jamais ! » répondit Sana.

Mais on entendit le murmure de baisers volés.

Puis la voix de Khalid Azzuz reprit :

« Mon premier souci, c'est l'anarchisme. »

Des rires fusèrent. Puis le silence régna, comme un instant de bien-être, emplissant toute solitude.

Am Abdu arriva soudain en disant :

« Une femme s'est jetée du huitième étage de l'immeuble Soba ! »

Anis le regarda, consterné, et demanda :

« Comment tu as su ?

— J'ai entendu un cri et je me suis aussitôt précipité. C'était horrible. »

La voix d'Ali as-Sayid retentit :

« Heureusement, nous sommes loin du monde extérieur, et nous n'avons rien entendu du tout.

— Elle s'est suicidée, ou on l'a tuée ?

— Dieu seul le sait ! » dit le vieil homme.

Puis il sortit d'un pas pressé. Ali as-Sayid proposa d'aller jouer les badauds, mais son idée fut vite rejetée. Le choc de la nouvelle rendit aux ensembles atomiques leurs formes originelles et le calme se réinstalla dans la pièce. Anis se réjouit de s'être évadé de son accablante solitude, et il déclara qu'il valait toujours mieux fréquenter des fous que d'être seul. Ce fut au tour de Mustafa Rachid de parler, mais Ali as-Sayid voulut se venger et déclara :

« C'est un avocat qui a perdu le procès des sociétés nationalisées, et il vit de l'argent qu'il soutire aux pécheurs d'entre les fils du peuple ; son premier souci, à part toucher des arrhes sur ses honoraires, c'est l'absolu ; et c'est une quête ardue, bien plus ardue que celle des honoraires impayés ! »

Samara demanda :

« Ainsi, tu fais partie des dévots ?

— Dieu m'en préserve !

— Et qu'est-ce que l'absolu ? »

Ali as-Sayid répondit :

« Parfois il regarde le ciel, parfois il se concentre sur lui-même, ou encore il assure qu'il est proche du but, mais le langage reste muet... Khalid lui a conseillé de se faire examiner par un endocrinologue...

— De toute manière, il adhère au parti des sérieux !

— Mais non ! puisque son absolu relève de l'absurde !

— Peut-on le considérer comme un philosophe ?

— Si tu veux, au sens moderne du terme, la philosophie selon Jean Genet qui englobe le vol, la prison et la perversion sexuelle... »

Il se souvint de sa dernière rencontre avec Néron. Non, ce n'était pas un monstre, contrairement à ce qu'on en disait. Mais lorsqu'il s'était retrouvé empereur, il avait tué sa mère, et devenu Dieu, il avait incendié Rome. Avant cela, il n'était qu'un homme ordinaire, passionné d'art. Et c'était pour tout cela, dit-il, qu'il vivait à présent dans le bien-être du Paradis éternel.

Anis partit d'un grand rire, sans raison, mais les regards se tournèrent vers lui et Samara lui dit :

« C'est ton tour, ô notre chef ; quel est ton premier souci ? »

Il répondit sans hésiter :

« C'est de te faire la cour ! »

Un tumulte de rires s'éleva, et Ragab s'écria avec fougue :

« Mais ! »

Puis il se reprit rapidement et se tut, et les rires repartirent de plus belle. Malgré son embarras, Samara le pressa de nouveau de parler, mais Ahmad Nasr répondit pour lui :

« C'est de tuer le directeur général...

— Voilà enfin quelqu'un de sérieux ! dit-elle en riant.

— Mais il ne songe à cela que pendant ses éclairs de conscience !

— Allons, vous exagérez ! »

Am Abdu revint et se planta près du paravent en disant :

« La femme s'est suicidée après une dispute avec son amant ! »

Un silence total régna soudain, puis Khalid Azzuz se décida à le rompre :

« C'est ce qu'elle avait de mieux à faire... Change le narguilé, Am Abdu ! »

Samara soupira :

« Il n'y a plus d'amour dans notre monde ! »

Khalid reprit :

« Cette femme s'est suicidée parce qu'elle était vraisemblablement sérieuse... Quant à nous, nous ne nous suicidons pas. »

Ahmad Nasr déclara que toute créature vivante est sérieuse et qu'elle vit sa vie sur des bases sérieuses... L'absurde était le plus souvent circonscrit aux cerveaux... On peut trouver un meurtrier involontaire dans un roman comme *L'Étranger* par exemple, mais dans la vie réelle, Beckett lui-même fut le premier à menacer son éditeur d'un procès si celui-ci enfreignait les clauses des contrats de ses livres sur l'absurde. Samara rejeta en bloc cette opinion. Pour elle, ce qui se formait dans la tête d'un individu influait immanquablement, d'une façon ou d'une autre, sur son comportement, ou du moins sur ses sentiments. Elle lui cita l'exemple du nihilisme, de l'immoralité et du suicide moral... Et pour que l'homme restât un homme, il devait se révolter, même si c'était une fois par an ! Ragab lui proposa de rester pour admirer le lever du soleil derrière les acacias, mais elle déclina avec ses excuses et se prépara à partir au milieu de la nuit, refusant poliment que quelqu'un l'accompagnât en voiture. Après son départ, l'atmosphère s'emplit de l'apaisement qui suit les grandes fatigues. Une certaine torpeur faillit s'emparer d'eux. Anis songea à leur parler de son expérience atomique, mais il se ravisa vite, gagné par la paresse.

« Que se passe-t-il dans la tête de cette femme étrange et captivante ? » demanda Ahmad Nasr.

Ali as-Sayid, dont les yeux bovins avaient rougi et dont le gros nez visqueux semblait tomber, déclara :

« Elle veut tout savoir, et veut croire que tout est crédible... »

Mustafa Rachid demanda :

« Pensez-vous qu'elle aura un jour l'idée de nous inviter au Sérieux ?

— À ce moment-là, il faudrait que nous l'invitions à notre tour dans l'une des trois chambres..., dit Khalid Azzuz.

— Ça, c'est la spécialité de Ragab Al-Qadi ! »

Sana blêmit... Mais le haschisch ôte toute valeur aux remarques de ce genre.

« Il faut que nous désignions un successeur pour Sana ! » s'exclama Khalid.

Sana lança à Ragab un regard sévère et dit d'une voix faussement caressante :

« On ne peut pas en vouloir à un haschasch... »

Khalid demanda de nouveau :

« Est-il facile pour un plaisantin de tomber amoureux d'une femme sérieuse ? »

Le narguilé circulait et les yeux se voilaient de sommeil. On porta le foyer sur le pont pour vider les cendres. La braise rougit, puis crépita, couronnée d'étincelles. Anis s'approcha du pont, pour humer l'air humide de la nuit. Il s'absorba dans la contemplation du feu, offert à son étrange magie. Il se dit que personne ne connaissait mieux le secret de la force que le delta du Nil.

Les geckos, les rats, les moustiques, l'eau du fleuve, tous ceux-là font partie de ma tribu, mais seul le Delta connaît le secret de la force. Le Grand Nord est un monde enchanteur, couvert de forêts, qui ne connaît du jour que les rais de lumière qui filtrent à travers les feuillages et les branches. Un jour, les nuages s'enfuirent et laissèrent à leur place un hôte lourd, à la peau craquelée et au visage morne, nommé Sécheresse. Que faire, lorsque la mort rampe vers nous ? L'herbe sécha, les oiseaux s'envolèrent et les animaux périrent... Je m'écriai : « Voilà que la mort s'avance et brandit le poing vers nous ! » Mes cousins partirent vers le sud, en quête de subsistance et de proches vendanges, même s'ils devaient aller au bout du monde. Ma famille se dirigea vers les marécages laissés par les eaux du Nil, sans d'autre arme que sa détermination. Seul le Delta fut témoin de sa folle errance. Là-bas l'attendaient les inextricables buissons d'épineux, les reptiles et les fauves, les mouches et les moustiques. Ce fut un festin barbare pour l'Extermination : « Nous n'avons d'autre choix que de défendre notre territoire, pouce par pouce, en luttant dans la sueur et le sang », dirent-ils... Les bras ensanglantés, les yeux exorbités, les oreilles bourdonnantes ; et l'on n'entendait plus que le bruissement de la mort qui rampait. Les spectres envahirent la terre ; les vautours tournoyaient dans le ciel, guettant les suppliciés... Il n'y avait de temps que pour le travail, nul répit pour enterrer les morts. Personne ne demandait où ils allaient. Alors, les merveilles naquirent, et les graines des miracles germèrent... Mais seul en fut témoin le Delta.

8

Lorsqu'une nouvelle soirée commence, les sensations de présence s'intensifient ; l'existence s'apaise, la notion de fin s'évanouit et une chance rare de vivre un sentiment d'éternité s'offre alors. Ce soir, c'est la pleine lune et l'on a éteint le néon, laissant juste une lampe bleutée qui diffuse une lumière pâle au-dessus de la porte d'entrée. Les visages ont le teint blafard. Au-delà du pont, la lune, haute et voilée, éclaire le demi-cercle de l'assemblée d'un tapis d'argent équilatéral.

« Vous avez sans doute lu l'article de Samara Bahgat sur le dernier film ?

— Dis plutôt sur Ragab al-Qadi, ce sera plus vrai ! »

Mais non, il ne lit pas les journaux, et comme Louis XVI, il ne sait rien de ce qui se passe au-dehors...

Layla Zaydan s'exclama, indifférente aux sentiments de Sana :

« Le sérieux, ah vraiment ! Mais cela m'est égal, je savais dès le début qu'elle était venue dans un but bien précis, et d'une tout autre sorte...

— Viens danser ! » dit Sana à Ragab.

Il lui répondit avec une odieuse douceur :

« Il n'y a pas de musique...

— On ne cesse de danser sans musique...

— Patience, ma chérie ! sinon le narguilé ne circulera pas ! »

Il se croit le centre de l'univers et pense que le narguilé tourne grâce à lui. En réalité, le narguilé tourne parce que tout tourne. Et si les planètes suivaient une ligne droite, l'ordre de la séance de kif changerait. Hier soir, j'étais convaincu de l'immortalité, mais j'ai oublié pourquoi en allant aux archives.

Khalid Azzuz dit d'un ton ironique :

« Cet article est considéré comme appartenant à la littérature engagée, je crois, qu'en penses-tu, Ragab ? »

Ragab répondit, comme si Sana était absente :

« Je l'ai pris comme un bonjour de sa part !

— D'autant plus qu'elle est coupée de nous depuis des jours ! »

Le premier carreau invisible allume dans l'ombre une lueur hagarde, comme un œil violet ensommeillé. Te souviens-tu combien la pleine lune était épuisante pendant les nuits de raids aériens... Mais voilà le héros qui bondit vers le nouvel assaut. Comme tous les conquérants, il se pare d'une dureté épaisse comme une cuirasse.

Ragab, témoignant d'un implacable oubli envers sa compagne, déclara :

« Je l'ai remerciée par téléphone ; je lui ai dit que je lui aurais rendu visite si je n'avais pas eu peur de la mettre dans l'embarras. Elle m'a répondu, étonnée : " De quel embarras parlez-vous ? "

— C'est une invitation, c'est clair !

— En l'espace de quelques minutes, j'étais près d'elle, et je lui ai demandé l'autorisation d'aller dans sa chambre, et juste à ce moment, notre ami Ali as-Sayid est sorti comme un diable de sa boîte ! »

L'ami en question fut abreuvé d'injures.

« J'ai remercié, bu un café, et lui ai dit que son article méritait de faire de moi un autre homme !

— Hypocrite, fils d'hypocrite, né d'une nation enracinée dans l'hypocrisie !

— Elle a rechargé ses batteries de sex-appeal au suc de mes regards, et pendant la conversation ses cordes vocales avaient des inflexions subtiles, interdites par la censure, sauf si l'on se prête à de longues tractations...

— Prétentieuse imagination ! s'écria Ali as-Sayid, la conversation était banale et la voix aussi...

— Toi, tu étais complètement absorbé par des marchandages à voix basse avec un producteur de cinéma... »

Ali as-Sayid s'esclaffa :

« C'était seulement pour une caisse de whisky à consommer sur notre maudite péniche !

— L'affaire s'en est-elle tenue aux inflexions subtiles ? demanda Mustafa Rachid.

— Qu'espérez-vous de mieux d'une rencontre quasi officielle ? Malgré cela, Mme l'Engagée s'est réfugiée derrière un transparent voile féminin, tel celui du papillon qui butine de fleur en fleur, parodiant le métier qu'Am Abdu exerce sur la corniche du Nil. »

La voix de Sana résonna comme la corde aiguë du qanoun qu'un musicien a fait vibrer par inadvertance :

« Quel charmeur tu fais ! »

Il lui adressa un sourire morne, qui apparut être, dans la lumière pâle et bleutée, comme une ombre de dépit, et il lança :

« Ma petite chérie... »

Mais elle l'interrompit d'un ton cassant :

« Je ne suis pas petite, s'il te plaît.

— Petite en âge, mais grande en position !

— Épargne-nous les clichés dont la disparition remonte à la fin de l'époque mamelouk ! »

Ali as-Sayid soupira :

« J'en appelle au retour de l'ère mamelouk, à condition que nous soyons des mamelouks... »

Sana reprit avec gêne :

« Comme les gens de la péniche se transforment rapidement en monstres sans cœur ! »

Les monstres ont des cœurs. Et ils ne sont des monstres que face à leurs ennemis. Je n'oublierai jamais la baleine qui s'est éloignée de la péniche en me disant : « Je suis la baleine qui a sauvé Jonas. » Et combien de millions de millions d'yeux se sont tournés vers la nuit paisible, baignée de rayons de lune. Il n'y a pas de preuve plus éclatante de la sincérité de Samara que la fuite des oiseaux migrateurs. Quant à la pauvre Sana, elle a oublié l'âge des cavernes au cours de sa prime jeunesse...

Il s'écria soudain :

« Ce tabac, c'est de la merde ! de vieilles feuilles racornies ! »

Il se mit à le presser dans un mouchoir pour le sécher. Entre-temps, il participa à la course de vitesse et à la compétition d'haltères du tournoi olympique du Japon, et il enregistra des records... À la sonnerie du téléphone, Ragab se leva comme s'il l'attendait. On n'entendit de sa conversation que quelques bribes de mots : « Compris... très bien. Tout de suite. » Il reposa le combiné puis se tourna vers l'assemblée en disant :

« Si vous permettez... »

Puis s'adressant à Sana :

« Je reviendrai peut-être plus tard... »

Il sortit. La péniche frémit sous le martèlement de ses pas. Sana fut agitée d'un tressaillement nerveux. Ils crurent qu'elle allait se mettre à pleurer, et personne ne souffla mot. Les yeux s'emplirent de regards inquisiteurs, mais Ali as-Sayid hocha la tête d'un air réprobateur. Finalement, Mustafa Rachid dit doucement à Sana :

« Ne pleure pas, le romantisme, c'est du passé, et même le réalisme se meurt ! »

Layla Zaydan, arborant un sourire cruel, déclara :

« Il est admis que, sur notre péniche, rien ne mérite les regrets ! »

Sana s'écria avec violence :

« Ni romantisme ni regrets !

— Je t'assure qu'il est allé voir un producteur. Mais n'oublie tout de même pas que l'homme que tu as rencontré a été perverti par les femmes ! »

Ahmad Nasr se leva et dit d'une voix tendre :

« Je vais te verser un whisky, mais reprends-toi, s'il te plaît ! »

Saniyya Kamil ajouta, avec une candeur stupéfiante :

« Au pis, tu as toujours Mustafa et Ahmad... »

Anis s'écria sauvagement :

« Pourquoi vos calculs de voyous m'oublient-ils toujours? »

Puis il ajouta d'un ton rude, en insistant sur les syllabes finales :

« Des voyous, débauchés et toxicomanes ! »

Ils éclatèrent de rire et Mustafa Rachid demanda :

« Tu crois vraiment qu'il est allé voir Samara ?

— Bien sûr que non ! répondit Ali as-Sayid.

— Ce ne serait pas étonnant qu'il fasse une nouvelle conquête !

— Pardi ! Dites-moi donc pourquoi elle est venue ici si ce n'est pas pour lui ? demanda Layla Zaydan.

— Rien n'est impossible ! dit Ali as-Sayid, mais comme elle n'est pas naïve, je ne pense pas qu'elle se satisfasse d'être une admiratrice passagère ! »

Mustafa Rachid demanda :

« Mais qu'est-ce qui fait que certains hommes ont un tel pouvoir ?

— N'importe quelle vedette à sa place ferait la même chose ! décréta Ali as-Sayid.

— Ce n'est pas seulement une histoire d'aura de vedette, ni de grâce, ni de beauté, mais c'est le secret suprême de l'érotisme !

— Que les femmes nous parlent de cela ! s'écria Ahmad Nasr.

— Les femmes aiment, mais ne disent pas pourquoi ! » déclara Ali as-Sayid.

Khalid Azzuz rétorqua :

« Il suffit de demander à la glande hypophyse... »

Sana tira un matelas sur le pont et s'assit, solitaire.

Ali as-Sayid demanda à Mustafa Rachid en indiquant Sana d'un signe de tête furtif :

« Est-ce qu'elle ressemble au modèle féminin que tu recherches ?

— Non ! » répondit-il laconique, et Khalid Azzuz s'écria :

« Le libertinage ! le libertinage ! Voilà le remède à tout cela ! »

Anis s'enflamma :

« Espèces de voyous, vous êtes responsables de la décadence de la civilisation romaine ! »

Ils rirent grassement, et Ahmad Nasr lui lança :

« Tu es bien nerveux ce soir ! Ce n'est pas ton habitude !

— Le tabac est dégueulasse !

— Mais c'est souvent le cas !

— La lune ! Sa rotation me fait penser à une comédie !

— Une comédie ?

— La comédie des comédies ! »

Le narguilé circula sans interruption. Ils s'imposèrent silence pour que viennent les spectres errants. L'assemblée fut dominée par le refus de mettre l'Histoire et l'avenir en cause... Il se dit qu'il était le zéro. Ni plus ni moins, simplement le zéro. Miracle des miracles. L'inconnu apparut, sous la clarté de la lune. La voix d'Am Abdu parvint du dehors, dans un jargon inintelligible. Quelques-uns éclatèrent de rire. D'autres affirmèrent que le temps passait à une vitesse effrayante. On entendait le murmure des vagues qui cognaient contre le flanc de la péniche. Bien sûr, la rotation de la lune ! Et le taureau évanoui...

Un jour, un cheikh me dit : « Tu aimes l'agression, mais Dieu n'aime pas ceux qui agressent. »

Et le sang coulait de mon nez. Peut-être le cheikh avait-il dit cela à un rival. Et peut-être le sang coulait-il du nez de ce rival... Comment avoir confiance après cela ?

La voix répéta : « Le temps passe à une vitesse effrayante. » Ahmad Nasr soupira : « C'est l'heure. » Il annonçait la fin de la soirée. Un mouvement paresseux se propagea, puis Ahmad et Mustafa s'en furent ensemble. Khalid et Layla les suivirent. Ali et Saniyya se glissèrent dans la chambre donnant sur le jardin. Am Abdu vint ranger la pièce. Anis se plaignit à lui de la mauvaise qualité du tabac et le vieux rétorqua que tout ce qu'il y avait dans le souk était de mauvaise qualité. Un éternuement retentit sur le pont, et il se souvint brusquement de Sana. Il rampa au-dehors, puis appuya son dos contre la balustrade, étendant ses jambes à l'intérieur en murmurant :

« Bonsoir, Beauté... »

La clarté de la lune reflua, s'enfonçant dans les profondeurs de la nuit, derrière la péniche, du côté de la route, entraînant à sa suite, sur la surface de l'eau, ses perles de lumière.

« Tu crois qu'il va revenir ?

— Qui ?

— Ragab !

— Malheureux celui qui, interrogé, ne peut répondre !

— Il a dit qu'il reviendrait peut-être en fin de soirée...

— Peut-être...

— Est-ce que je t'ennuie ?

— À Dieu ne plaise !

— Crois-tu que je doive l'attendre ? »

Il eut un rire léger et dit :

« Des peuples attendent leur sauveur depuis mille ans !

— Toi aussi tu te moques de moi ?

— Personne ne se moque de toi, c'est simplement leur façon de parler...

— De toute façon, tu es le plus gentil de tous.

— Moi ?

— Tu ne dis jamais de méchancetés.

— C'est parce que je suis muet !

— Nous avons une chose en commun.

— Laquelle?

— La solitude.

— Le fumeur ne connaît pas la solitude !

— Pourquoi ne me fais-tu pas la cour ?

— Le vrai fumeur jouit d'autosuffisance...

— Que dirais-tu d'une promenade en felouque?

— Mes jambes ne me portent plus... »

Elle soupira :

« Je n'ai plus qu'à partir, et il n'y a personne pour me raccompagner jusque sur la place !

— Am Abdu raccompagne ceux qui n'ont personne pour les raccompagner... »

Quelques bouffées humides hésitèrent dans la brise nocturne. Un rire fusa derrière la porte de la chambre close. Dans le ciel parfaitement pur fleurissaient des milliers d'étoiles. Au beau milieu apparut un visage souriant aux traits effacés. Une délicieuse sensation l'envahit, de celles qu'il n'éprouvait que lorsqu'il enregistrait les records du tournoi olympique. Lorsque le temps passait à une vitesse effrayante, le drame lui apparaissait dans toute la réalité du champ de bataille.

Soudain, Kambyse s'assit sur l'estrade, son armée victorieuse à sa suite. À sa droite, ses glorieux généraux ; à sa gauche, le pharaon déchu. L'armée égyptienne captive défile devant le conquérant. Le pharaon éclate en sanglots et Kambyse se tourne vers lui et demande la raison de ses pleurs. Il désigne alors un homme qui marche la tête courbée, au milieu des prisonniers, et s'écrie : « Cet homme ! Je l'ai toujours vu au faîte de sa splendeur... Comme il m'en coûte de le voir aujourd'hui trébucher sous les chaînes ! »

9

Le matériel est prêt pour la séance. Am Abdu appelle à la prière du couchant.

L'attente a quelque chose de réellement éprouvant. Attendre que la magie de la tasse enchantée agisse ! L'attente est une sensation qui appelle l'insomnie et que seul le baume d'éternité peut guérir. Avant cela, le Nil n'est pas ton ami, les vols de pigeons blancs non plus. Tu regardes d'un œil angoissé s'écrouler l'assemblée, comme tu vois s'écrouler toutes les fins. La lune qui se lève sur les branches d'acacias intensifie cette obsession sans apporter d'apaisement. Tout reste semblable à tout, et même s'il a bien agi, les remords le poursuivent. Le désarroi le prend devant n'importe quelle sagesse, sauf devant celle qui enterre toutes les maximes. Que la souffrance régressive aille s'adresser à la magie, au point de non-retour. Lorsque nous émigrerons vers la Lune, nous serons les premiers pèlerins à fuir le néant pour le néant. Hélas ! comme je regrette la toile de l'araignée qui chanta un soir dans notre village, accompagnée du coassement des grenouilles... Peu avant la sieste, j'entendis Napoléon accuser les Anglais de le tuer avec un poison lent. Mais il n'y a pas que les Anglais qui tuent de cette manière...

Il se mit à marcher de long en large, entre le balcon et le paravent, puis il alluma la lampe bleue, et sentit au même instant les phalanges de la miséricorde caresser ses entrailles.

La péniche frémit, les voix s'élevèrent, annonçant le retour de la vie.

La pièce se remplit, et le narguilé circula sous l'œil de la lune qui passait, haut dans le ciel. Pour la première fois, Sana ne vint pas ; Ahmad Nasr s'en étonna. Les commentaires allaient bon train. Saniyya Kamil déclara :

« Le problème, c'est que vous êtes en état d'apesanteur ! »

Ragab resta indifférent à la conversation, absorbé dans l'examen du haschisch.

Ahmad Nasr lui dit :

« Tu as été plus dur qu'il ne fallait avec elle et tu n'as pas tenu compte de sa grande jeunesse...

— Je ne peux pas être à la fois amant et éducateur !

— Mais elle est si jeune !

— Je ne suis pas le premier artiste dans sa vie... »

Ahmad Nasr fit valoir qu'elle l'avait aimé sincèrement, et déclara :

« Un amour qui dure plus d'un mois à l'ère de la fusée est un amour éternel ! »

Il se rappela la manière dont elle l'avait provoqué, et comment il avait refusé, tel Joseph ! Il se souvint aussi que l'amour avait de tout temps inspiré les conteurs. La clarté lunaire resplendissait sur leurs visages... Bientôt, elle serait voilée aux regards... Lorsqu'il les observe attentivement, il leur découvre des traits nouveaux, qui rendent ces visages presque étrangers. Il les « voit » généralement avec les oreilles, derrière des nuages de fumée, à travers des pensées et des tractations, mais, s'il se concentre sur eux avec spontanéité et lucidité, il se retrouve étranger parmi des étrangers... Il vit la ruine dans de fines ridules, autour des yeux de Layla Zaydan. Il vit une cruauté glacée dans le sourire narquois de Ragab... Le monde aussi lui apparaît étrange ; il ne sait plus le situer dans le temps et peut-être n'a-t-il jamais été situé...

Anis prêta l'oreille au nom de « Samara » qui se répercutait parmi eux, et soudain il entendit sa voix qui taquinait Am Abdu au-dehors. Le tressaillement de la péniche diffusa dans son corps un semblant de frisson. Samara apparut, vêtue d'un tailleur blanc. Elle les salua d'un geste, et se dirigea vers un matelas libre, celui de Sana. Elle alluma une cigarette avec satisfaction, sans que personne ne puisse déceler en elle le moindre changement susceptible d'expliquer l'humeur mystérieuse de Ragab, la veille. Elle demanda, naïve :

« Où est Sana ?

— Dans la cabane d'Am Abdu ! » répondit Mustafa Rachid.

Elle ne se départit pas de sa candeur, lorsqu'il ajouta qu'elle était allée là-bas à la recherche de l'absolu. Elle rétorqua que c'était plutôt chez lui et non dans la cabane d'Am Abdu qu'elle aurait dû se rendre.

Il continua, railleur :

« En fait, elle a trouvé dans l'amour de Ragab une dimension par trop éphémère, et elle est allée vers quelque chose de plus authentique et de plus stable...

— Dans la cabane d'Am Abdu, la chose la plus définitivement stable, c'est le vide ! » dit-elle d'un air désolé.

Certes, l'homme ne possédait que sa galabiah et dormait sur une vieille paillasse, sans couverture. C'est ainsi qu'il l'avait trouvé, lorsqu'il était arrivé sur la péniche, mais il faudrait absolument qu'il lui donne une couverture avant l'arrivée de l'hiver...

Mustafa pressa Samara d'essayer le narguilé, et Ragab se joignit à lui :

« Pourquoi t'obstines-tu à le refuser ? »

Elle éclata de rire :

« Pourquoi l'aimez-vous ? Voilà la vraie question !

— C'est s'en priver qui requiert une explication ! »

Tous perçurent clairement son intense désir de découvrir le secret du narguilé. Pourquoi l'être humain aime-t-il passionnément le genre d'hypnose qu'il procure... Pourquoi idolâtrer cet ahurissant ensommeillement ?

« Se reporter au mot " accoutumance " dans l'*Encyclopaedia britannica* ! » lui lança Khalid Azzuz.

Mais Mustafa Rachid s'empressa d'ajouter :

« Méfiez-vous des clichés, madame ! »

Elle lui sourit, hésitante. Il insista :

« Prenez garde à ne pas répéter des balivernes du genre " la fuite ", et patati et patata... ! »

Elle dit avec simplicité :

« Je voudrais savoir !

— Une nouvelle enquête ? demanda Ragab.

— Je déteste être l'objet d'une accusation ! »

Mustafa Rachid lança avec défi :

« Les clichés n'ont aucune valeur, nous sommes des travailleurs : directeur des comptes, critique d'art, acteur, homme de lettres, avocat, fonctionnaire... Nous donnons tous à la société ce qu'elle réclame, et même davantage. Alors, que devrions-nous fuir ? »

Elle répondit avec franchise :

« Tu émets des opinions contradictoires, et puis tu en discutes ; moi, je voudrais seulement savoir l'effet que le narguilé a sur vous...

— Elle nous dit à peu près la même chose que le poète, déclara Ali as-Sayid :

Des yeux ont veillé et des yeux ont dormi
Pour des choses qui sont, ou bien qui ne sont pas.
Bannis de ton esprit les soucis,
Car les soucis sont porteurs de folie. »

Elle dit avec un accent de triomphe :

« Ce sont donc les soucis ! »

Mustafa Rachid s'insurgea :

« Nous affrontons les soucis de la vie quotidienne avec ardeur, nous ne sommes pas des fainéants, nous sommes des chefs de famille et des hommes d'affaires ! »

Le monde parut soudain bizarre et son étrangeté s'accrut au fur et à mesure qu'ils confrontaient leurs idées. Les soucis, les fainéants et les clichés... Les haschaschins palabraient, les yeux injectés de sang. La lune disparut tout à fait, mais son scintillement s'épanouissait encore à la surface de l'eau, comme le sourire d'un bonheur inconnu. Que veut cette femme, et que veulent les haschaschins ? Ils parlent temps libre et elle parle accoutumance. Il est étonnant que la péniche ne frémisse pas de ce débat, quand elle oscille au moindre pas sur la passerelle...

Am Abdu arriva pour changer l'eau du narguilé, puis il s'en alla. Anis contempla le chatoiement de l'eau et sourit. Puis il entendit la voix de Samara qui l'appelait et il leva les yeux sans que ses mains cessent de s'activer.

« J'aimerais bien avoir ton avis ! dit-elle.

— Mariez-vous, mademoiselle ! » dit-il ingénument.

Ils éclatèrent de rire.

« Elle préfère le rôle d'oratrice ! » s'exclama Ragab.

Elle s'obstina à ne pas paraître déconcertée, et se mit à exhorter Anis du regard, afin qu'il lui réponde. Mais il se détourna d'elle pour se concentrer sur l'activité de ses mains.

Pourquoi un plus un égale-t-il deux ? Une emmerdeuse, qui pose des questions élémentaires... Que veut-elle ? Et comment veut-elle que l'on plane au cours d'une poursuite impétueuse et sans répit ?

Lorsqu'elle désespéra de sa réponse, elle se tourna vers Mustafa en disant :

« Il est vrai que vous affrontez les soucis de la vie quotidienne avec ardeur, mais qu'en est-il de la vie en général ?

— Tu veux parler de la politique intérieure ?

— Extérieure !

— Pourquoi pas la politique internationale ! lança Khalid Azzuz, narquois.

— Pourquoi pas..., dit-elle en souriant.

— Sans négliger la politique universelle... », ajouta Mustafa Rachid.

Elle dit d'un ton triomphant :

« Tu vois que les soucis sont plus nombreux que tu ne le croyais !

— À présent, nous sommes d'accord. Tu déplores le temps perdu à nos veillées, et tu le considères comme une fuite devant nos vrais fardeaux, alors que nous pourrions apporter des solutions radicales aux problèmes de la nation arabe, du monde et de l'univers... »

Les rires repartirent de plus belle. Ils accusèrent Anis d'être la véritable cause de la souffrance du monde et de la confusion régnant dans l'univers. Mustafa Rachid proposa de jeter le narguilé dans le Nil, puis de se répartir les tâches : Khalid Azzuz serait chargé de la politique intérieure, Ali as-Sayid, des affaires internationales, et Mustafa devrait élucider les mystères de l'univers. Ils se demandèrent par où commencer et comment ils s'organiseraient, comment ils réaliseraient le socialisme sur des bases populaires démocratiques, sans mensonges et sans répression, et comment après cela ils guériraient les plaies du monde, la guerre et la ségrégation raciale. Mustafa devait-il dès à présent commencer à résoudre les énigmes de l'univers, et étudier les sciences et la philosophie, ou bien devait-il se concentrer d'abord sur l'introspection, en attendant une illumination ?

Ils étudièrent les principales difficultés et les dangers qu'ils devraient affronter, comme la confiscation des propriétés, les arrestations arbitraires et les meurtres... Une voix se plaignit de la vitesse effrayante à laquelle le temps passait... La lune disparut complètement, et il ne resta plus de son scintillement qu'une mince traînée lumineuse. Le narguilé ne cessait de tourner, et Samara de rire...

Dans sa tête déferlèrent mille pensées sur les conquêtes arabes et les guerres des Croisades, l'Inquisition, la mort des amants célèbres, et celle des philosophes, les combats sanglants entre catholiques et protestants, le siècle des martyrs et de l'exode vers l'Amérique, la mort d'Adila et Hanniyya, ses relations avec les filles de la corniche, la baleine qui sauva Jonas, et le labeur d'Am Abdu, réparti entre l'imamat et le proxénétisme, le silence indescriptible des dernières heures de la nuit, et les pensées phosphorescentes et fugaces qui rougeoyaient un instant puis disparaissaient à jamais...

Il fut tiré de sa torpeur par la voix de Samara qui leur demandait :

« Mais alors, qu'étiez-vous au commencement de la vie ? »

Ils se mirent à rire. Pourquoi riaient-ils ? Comme si leur vie n'avait pas eu de commencement ! Les souvenirs lointains qui remontaient à l'âge de pierre... Le village, puis l'unique chambre, et l'obstination... L'obstination au sein du village, puis l'unique chambre... La lune se levait, elle se couchait, sans révéler la fin de quoi que ce soit...

« Dans ma jeunesse, dit Khalid, il n'y avait pas de questions sans réponse. La terre ne tournait pas et l'espoir se projetait dans le futur à une vitesse de cent millions d'années-lumière. »

Ali as-Sayid déclara :

« Un jour, je me suis demandé pourquoi la peur de la mort était un obstacle à notre bonheur...

— Un jour, dit Mustafa Rachid, Anis et moi avons failli périr dans une manifestation révolutionnaire ! »

La jeune femme ne s'étonnait de rien. Elle se mit à disserter sur les possibilités de faire naître l'enthousiasme sous une forme nouvelle. Mais ils parlèrent de la trahison de la femme qui avait rendu impossible la confiance en la féminité. Elle dit à Mustafa, qui se montrait le plus emballé par la discussion :

« Tu fuis tes responsabilités, à travers l'absolu...

— Beaucoup se servent des responsabilités pour fuir l'absolu ! » répondit-il narquois.

L'œuf et la poule... Quant à moi, je prépare, je tasse, j'allume le feu et je fais tourner le narguilé, puis je sors de moi-même en disant adieu à cette limaille de futilités. Les femmes rient et rêvent d'amour, et le temps passe à une vitesse effrayante... Chaque fois que la Dame voulut s'en aller, le magicien la retint avec insistance. Sous peu, les ruines envahiront la pièce... L'école Al-Khayyam devint une maison de passe. Lors de notre dernière rencontre, il m'a dit que s'il avait vécu jusqu'à nos jours, il se serait inscrit dans un club de sport.

« C'est l'heure ! »

Hommes et femmes s'en furent, à l'exception de Ragab et de Samara ! Il est vrai qu'ils ne savent pas que c'est le Nil qui nous condamna à être ce que nous sommes, et qu'il ne reste plus de nos antiques adorations que celle d'Isis... Le mal véritable est la peur de la vie et non de la mort. Écoute à présent le sempiternel dialogue, toujours recommencé :

« N'est-il pas préférable, ma chérie, de jouir de l'amour ?

— C'est une bonne idée !

— Alors...

— Je t'ai dit que j'étais sérieuse, mon cher...

— De morale bourgeoise ?

— Sé-ri-eu-se ! ! !

— Mais comment te donnes-tu ? »

Elle ne répondit pas. Il insista :

« Par le mariage, par exemple ?

— Disons plutôt par amour, puisque l'amour est à l'origine du mariage...

— Alors, viens !

— Es-tu sérieux ?

— Je ne plaisante jamais !

— Et Sana ?

— Tu ne sais rien de la psychologie des adolescentes prises de folie !

— Je connais bien des choses dans ce domaine !...

— Déposerais-tu les armes si je te promettais de croire au Sérieux ?

— Tu es vraiment trop drôle ! »

Le voilà qui approche son visage du sien. Le vieux spectacle va se reproduire. Voilà qu'il pose ses lèvres sur les siennes. Elle ne se défend pas, mais ne répond pas non plus. Elle lui décoche un regard ironique et glacé. Le chevalier déconfit bat en retraite. Ainsi tourna la chance de la nation persane... Il dit en souriant :

« Alors, allons faire un tour dans le petit jardin...

— Mais il se fait tard !

— Le temps n'existe pas sur la péniche. »

La pièce demeura vide. Mais non, elle n'était pas

vide, puisqu'il y restait les débris de la séance, la bibliothèque, le paravent, le réfrigérateur, le téléphone, la lampe au néon, la lampe bleue, deux fauteuils, un tapis bleu brodé de fleurs et le squelette d'un homme de l'ère atomique. Quant à eux deux, ils se promènent dans le jardin... Les herbes humides rafraîchiront leur ardeur. Leurs murmures se loveront au cœur des violettes et du jasmin. Ils ne vont pas tarder à danser au rythme du chant des grillons...

Am Abdu arriva pour s'atteler à son ultime tâche. Il l'observa longuement, puis il lui dit :

« Si tu ne me trouves pas une fille !...

— Mais...

— Avant ou après les ablutions, sinon, gare à toi !

— Un brave homme qui assistait à la prière de l'aube est mort...

— Toutes mes condoléances... Je suis persuadé que tu les enterreras tous ! »

Le vieil homme rit d'un rire innocent, et emporta le plateau.

Son regard tomba sur un gros sac blanc oublié sur un matelas où s'était assise Samara. Il s'imagina que ce sac avait une personnalité et qu'il influait sur lui avec ruse et magie. Il fut submergé par un violent désir de commettre une mauvaise action. Il tendit la main et ouvrit le sac. Il y vit quelques affaires banales, mais qui soudain lui parurent criantes d'excentricité, et un parfum exquis l'envahit. Un mouchoir, un petit flacon bleu foncé, un peigne à queue argenté, un petit porte-monnaie et un agenda qui pouvait tenir dans le creux de la main... Il ouvrit le porte-monnaie et y trouva quelques billets. Il eut l'idée de prendre une demi-livre pour la donner à la fille qu'Am Abdu ramènerait. Il se réjouit à cette pensée. Il lui sembla qu'il inventait ainsi quelque chose d'unique et de singulièrement apte à susciter le plaisir. Il prit l'agenda, le glissa dans sa poche et referma le sac en se tordant de rire. Il reprendra l'expérience de dissection qu'il avait ratée auparavant, et il fendra en deux un cœur clos. Il ressuscitera sa jeunesse pour revenir au temps des jeux. La fille dira tout ce qui lui viendra à l'esprit.

Elle s'interrogera :

« A-t-il voulu, avec cette matière visqueuse et unicellulaire, englober toutes ces merveilles ? » Et elle me demandera : « Quand donc étais-tu volcan, avant d'être sédiment, mort parmi les sédiments ? » Je ne connais pas la réponse, mais peut-être la connais-tu, ô toi, qui bâtis l'histoire avec tes souvenirs. Il s'assit face à moi, comme une statue, et je dis :

« Es-tu vraiment Thoutmosis III ? »

Il répondit d'une voix qui me fit penser à celle de Mustafa Rachid :

« Oui... Je partage le trône avec ma sœur Hatchepsout.

— Beaucoup s'interrogent sur ton indifférence à rester sous sa tutelle...

— Elle est la reine...

— Mais toi aussi, tu es roi...

— Elle est forte, et aime dominer toute chose...

— Tu es le plus grand général d'Égypte et son plus illustre chef !

— Je n'ai pas encore fait la guerre ni exercé le pouvoir...

— Je te parle de ce que tu deviendras, comprends-tu ?

— Comment l'as-tu su ?

— Par l'Histoire, tout le monde la connaît... »

Il rit en me regardant comme on regarde un sot, et j'insistai :

« C'est l'Histoire, crois-moi !

— Mais tu me parles d'un avenir inconnu ! »

Je psalmodiai, comme quelqu'un qui vit un cauchemar dû à une grande perplexité :

« C'est l'Histoire, crois-moi... »

10

Projet pour une pièce de théâtre.

Le thème principal tourne autour de l'utilisation du sérieux face à l'absurde. L'absurde, c'est la perte du sens, le sens de n'importe quoi. L'anéantissement de la foi, la foi en n'importe quoi. La vie s'écoule sous l'impulsion de la nécessité, sans conviction et sans véritable espoir. Cela se répercute sur la personnalité sous forme de prostration et de nihilisme, et l'héroïsme devient légende et dérision. Le bien et le mal se dressent côte à côte, et l'un des deux s'avance — quand il s'avance — poussé par l'égoïsme, la lâcheté ou l'opportunisme. Toutes les valeurs périssent, et la civilisation s'achève... Parmi ce qu'il faut étudier au cours de cette démarche, c'est la question des faux dévots. Ils ont la foi, mais ils se comportent dans la vie de façon absurde ; comment expliquer cela ? Est-ce une fausse compréhension de la religion, ou est-ce que leur foi n'est pas véritable mais routinière et sans racines, masquant les formes les plus viles d'opportunisme et d'exploitation ? Il faut examiner ce point pour savoir s'il peut être utile à la pièce, ou bien s'il faut le traiter à part.

Le sérieux, quant à lui, c'est la foi. Mais la foi en quoi ? Il ne suffit pas de savoir ce en quoi nous devons croire ; mais notre foi doit avoir la sincérité de la véritable foi religieuse, et le pouvoir de créer l'héroïsme, sinon ce serait une forme sérieuse de l'absurde. Il faut qu'elle apparaisse à travers les comportements et les situations, qu'elle soit la foi en l'homme, la foi en la science, ou les deux à la fois. Pour simplifier, disons qu'il y a longtemps l'homme s'est affronté à l'absurde et en est sorti par la religion. Il l'affronte à nouveau aujourd'hui : comment peut-il s'en tirer ? Il n'y a rien à espérer d'une conversation, en utilisant un langage auquel l'homme n'a pas été habitué. Nous avons acquis une langue nouvelle, qui est la science, et on ne peut garantir les vérités, petites et grandes, que grâce à elle. Ces vérités ont été cristallisées par la religion et formulées dans la langue originelle. Ce que l'on demande à présent c'est de certifier cela avec la même force, mais dans le nouveau langage humain.

Que les savants soient pour nous un exemple et une ligne de conduite. Il semble qu'ils ne tombent jamais dans l'absurde. Pourquoi ? Peut-être n'en ont-ils pas le temps. Peut-être aussi, parce qu'ils sont en relation permanente avec la vérité, s'appuyant sur une méthode qui a fait ses preuves, et qui ne les fait jamais douter ou désespérer de cette vérité. Un scientifique peut avoir passé plus de vingt années à résoudre une équation quand elle redevient soudain digne d'intérêt pour un autre et engloutit de nouvelles années de recherches, conduisant ainsi à une réelle progression dans la voie de la vérité. Ils vivent dans une sphère de progrès et de victoires, et une question comme « d'où viens-je, où vais-je, et quel sens a ma vie ? » n'a aucune signification pour eux, et ne préconise aucun recours à l'absurdité. La véritable science requiert une éthique à une époque où la morale s'effondre, et elle est un exemple de l'amour de la vérité, au même titre que l'intégrité de jugement, le monachisme dans le travail, la coopération dans la recherche, et la préparation spontanée à l'étude globale de l'humanité. Au niveau local, la supériorité scientifique peut-elle prendre la place de l'opportunisme dans les cœurs de la nouvelle génération ?

De toute façon, il vaut mieux que je ne me tourmente pas davantage avec cette pièce, et j'y reviendrai lorsque j'aurai réuni plus d'éléments nécessaires à sa composition.

Il me semble que le mouvement dramatique suivra cette trame : une jeune fille s'attaque à un groupe d'hommes, dans l'intention de les changer. Il faut qu'elle y parvienne grâce à une technique raffinée, sinon la pièce n'aurait aucun sens. Une femme sérieuse face à des fumistes... Il me faut aussi une histoire d'amour... Le plus drôle serait qu'ils tombent tous amoureux d'elle, et qu'elle fasse son choix ; ou qu'elle tombe amoureuse sans le savoir de l'un d'entre eux... Le champ sera alors libre pour une lutte sévère entre absurde, sérieux et amour. Mais la situation entre l'amour et le sérieux doit se tendre, pour que la pièce ne s'alanguisse pas. Prendra-t-elle la forme d'un roman d'amour serti dans le cadre d'une lutte intellectuelle ? Se limitera-t-elle aux conversations intellectuelles et aux apartés amoureux ? Comment et où les événements se développeront-ils, et au moyen de quelle technique convaincante ? Se fonderont-ils sur les conversations ? sur les sentiments ? Il me manque quelque chose d'essentiel, mais quoi ? Comment transformer une fumisterie en profession de foi, et quelle est la dimension réelle de cette foi ? Je veux dire, cela suffit-il pour ressusciter l'héroïsme ?

Enfin, je sais à présent à quoi m'en tenir sur les idées que je dois clarifier pour en faire le thème d'une pièce de théâtre. Il vaut mieux que je classe ces idées et les principales informations sur les personnages du récit, avec leurs vrais noms, provisoirement. Peut-être cela me délivrera-t-il de mes hésitations, puisqu'il est probable que les événements s'agenceront de façon spontanée si les personnages et leurs principales caractéristiques sont bien définis.

Les personnages :

AHMAD NASR : Fonctionnaire compétent, dit-on ; a une large expérience de la vie quotidienne... Comblé dans sa vie conjugale, il est père d'une adolescente... Pratiquant par habitude, je pense. En gros, un homme banal, et je ne sais guère en quoi il sert le propos de la pièce. Une question importante se pose : pourquoi fume-t-il ? Laissons de côté ce qui se dit des pulsions sexuelles, mais fuit-il quelque chose ? Il faut le recréer, vu qu'au fond de lui et au détriment de sa vitalité il est insatisfait de sa dévotion à son métier et à sa famille. Dans un coin de sa tête, il se sent responsable — ou il sait qu'il devrait se sentir responsable — de ce qui se passe autour de lui. Grâce à sa foi, il est le plus équilibré du groupe, mais malgré cela et peut-être aussi à cause de cela, il est déçu de constater qu'il ne peut faire bouger la vie d'un pouce. Pourtant, nous pouvons considérer sa préoccupation pour les problèmes mineurs (par exemple son accoutumance) comme une forme de fuite du sentiment de médiocrité qui le taraude. Il vivra sa misère secrète inconsciemment, et restera en apparence un homme équilibré, pratiquant, calme et efficace, jusqu'à ce que l'héroïne le mette face à lui-même, peut-être dans le cadre d'une passion qu'il éprouvera pour elle.

MUSTAFA RACHID : Avocat. Il est bon que j'insiste sur son métier afin de justifier son aptitude à la polémique. Plein d'ironie, sympathique. Marié à une femme qu'il n'aime pas ; peut-être l'a-t-il épousée avant tout pour son argent. Il prétend toujours être à la recherche de son idéal féminin. En fait, sur cette péniche celui qui ne vit pas une passion est un être étrange, qui cache sans doute un secret. Peut-être l'accoutumance... Il est parfaitement conscient de son vide psychique. Il trouve son plaisir dans le narguilé et l'absolu. Mais il n'est pas conscient — semble-t-il — de son automystification. Il aspire à l'absolu, sans méthode et sans véritable effort, se reposant sur la contemplation par la drogue, comme si l'absolu n'était qu'une justification de l'accoutumance ; mais il lui procure une sensation d'envol, malgré sa réelle médiocrité. Comme la plupart des gens que je rencontre dans les soirées mondaines, il arbore un vernis de culture en même temps que des sentiments creux et chancelants, puant la misère et la décomposition.

ALI AS-SAYID : Azharien[1], études complémentaires à la faculté de lettres. A appris l'anglais chez Berlitz. Militant conscient de l'imminence et de la réalité de son but. Il a deux femmes, la première vit à la campagne, la seconde au Caire, mais c'est une maîtresse de maison traditionnelle qui satisfait ses tendances conservatrices à la domination. Il vante son grand cœur qui lui a fait garder sa première épouse, mais c'est un porc comme le montrent ses relations ambiguës avec Saniyya Kamil. Comme critique d'art, c'est une fameuse fripouille qui bâtit ses jugements selon les avantages matériels. Il ne dit la vérité que si la chance le trahit et, à ce moment-là, il transforme l'éloge en satire railleuse, sans la moindre pitié. Il est poursuivi par des sentiments de médiocrité, de traîtrise et d'absurdité. La drogue à laquelle il s'adonne lui procure des rêves étranges où se dessine une humanité nouvelle qu'il perçoit de ses yeux ébahis, au travers d'un nuage destructeur. Il sert de modèle à un groupe de modernes qui errent sans croyance ni moralité. Il n'a pas de scrupules à commettre un méfait, s'il a la certitude de n'être pas châtié.

KHALID AZZUZ : Il a hérité d'un immeuble qui lui assure une vie confortable, malgré la médiocrité de son train de vie. Il a trouvé refuge dans le narguilé, le sexe et l'art gélatineux, qui stigmatise ce que ses penchants recèlent d'immoralité et de libertinage. Il est difficile de trancher pour savoir si c'est la perte de la foi — quelle qu'elle soit — qui l'a conduit à la

---

1. Al-Azhar : célèbre mosquée-université du Caire, construite en 970. Grand centre d'études théologiques.

débauche, ou bien si c'est cette dernière qui l'a poussé à rejeter la foi. Il est tout à fait possible qu'il revienne un jour à la foi traditionnelle, si la source de ses revenus se tarit. Contrairement à ses amis, il ne travaille pas. Il prend à la société sans rien lui donner en retour, si ce n'est quelques nouvelles comme celle du musicien dont la flûte s'est changée en serpent. Il est donc probable qu'il nous apparaisse un jour du haut du balcon de l'irrationnel.

RAGAB AL-QADI : L'espoir de la pièce ; elle serait ratée s'il ne se conformait pas au processus dramatique... Selon Ali as-Sayid, son père est barbier à Koum Hamada où il exerce toujours malgré la célébrité de son fils ; par dédain de sa part ou par goujaterie de la part de son fils. Ragab, c'est un fou du sexe. Divinité d'entre les divinités qui meurent au sixième épisode... Tel le dieu des passions, il a un côté rude que seul l'amour viendra adoucir. Comme les autres, il n'a ni foi ni principe, mais il est moins nerveux et tendu qu'eux. Beau, célèbre pour son teint couleur de bronze et son grand pouvoir de séduction. Son vrai refuge, c'est le sexe, et le narguilé ne semble guère avoir de prise sur lui. Son personnage se prête bien à cette pièce.

ANIS ZAKI : Fonctionnaire raté. Ex-époux, ex-père... Hagard et silencieux, de jour comme de nuit. Cultivé à ce qu'on dit, ne possédant au monde qu'une riche bibliothèque. Il me semble parfois à moitié fou, ou bien à moitié mort. Il a réussi à oublier parfaitement ce qu'il a voulu fuir. Il s'est d'ailleurs oublié lui-même. Sa carrure gigantesque laisse imaginer la force qu'il aurait pu avoir. On pourrait lui attribuer n'importe quel qualificatif, ou n'en trouver aucun qui lui convienne tout à fait. Son secret est dans sa tête. Se fier à lui c'est miser sur le vent. On peut l'utiliser dans une comédie, mais il ne peut jouer aucun rôle positif dans la pièce.

Pour les personnages féminins, il vaut mieux s'en tenir aux deux suivants : L'héroïne, pour l'importance de son rôle, et Sana, pour aiguiser l'aspect pathétique du drame ; d'autant plus qu'elle joue le rôle d'une adolescente moderne, apte à donner à la pièce un climat attrayant non dénué d'intérêt pour la recherche. En outre, la victoire que remporte sur elle l'héroïne dans la lutte amoureuse est le symbole du triomphe du sérieux sur l'absurde dans le domaine féminin, dès lors que le sérieux est vain s'il ne puise pas ses racines dans la femme, maîtresse de l'avenir. Après cela, il n'est pas nécessaire de parler de Saniyya Kamil, qui pratique la polyandrie à sa manière, ni de la traductrice blonde, vieille fille qui se prend pour une pionnière martyre, alors qu'elle n'est qu'une pionnière stupide, toxicomane et débauchée.

C'était là tout ce qui était inscrit dans l'agenda. Il y avait aussi un titre, *Remarques importantes*, mais il s'inscrivait seul sur une ligne, en haut d'une page blanche. Anis feuilleta les pages restantes mais n'y trouva rien. Il glissa l'agenda dans sa poche en murmurant : « Fille de putain. » Puis il le reprit, relut ce qui y était noté à son sujet, et le remit dans sa poche. Il éclata de rire. Il regarda la tasse vide et déclara que « c'était bien la peine »... Il l'attendra longtemps. Peut-être restera-t-il conscient jusqu'à ce qu'ils soient tous réunis... De l'oratoire, s'éleva la voix d'Am Abdu qui appelait à la prière du couchant. « Salope! » jura-t-il.

La péniche frémit sous un martèlement de pas. Il regarda vers la porte, en se demandant qui serait ce visiteur en avance.

De derrière le paravent, surgit... Samara Bahgat.

11

Elle s'approcha en le saluant d'un sourire forcé. Il s'aperçut de son trouble et lui dit :

« Tu n'es pas comme d'habitude ! »

Elle se mit à aller et venir en fouillant la pièce.

« Qu'est-ce que tu as ?

— J'ai perdu quelque chose d'important...

— Ici ?

— Je l'avais avec moi, hier soir...

— De quoi s'agit-il ?

— Un agenda de travail et un peu d'argent.

— Tu es sûre de les avoir perdus ici ?

— Je ne suis sûre de rien.

— Am Abdu balaie la pièce et les éboueurs ramassent les poubelles le matin... »

Elle se laissa tomber dans un fauteuil en disant :

« S'ils ont été volés, pourquoi le voleur n'a-t-il pas emporté le sac tout entier ? Pourquoi a-t-il pris l'agenda et dédaigné le porte-monnaie ?

— Peut-être les as-tu laissés tomber ?

— Tout est possible...

— Est-ce une perte irremplaçable ? »

Avant qu'elle ait pu répondre, la péniche frémit et des voix s'élevèrent. Elle le pria vivement d'oublier l'affaire et de ne rien dire, et se dirigea vers son matelas. Les amis furent bientôt tous là. Anis s'adonna fébrilement à la préparation du narguilé. Il était dans un état de conscience inhabituel, et dans ses entrailles s'agitaient des démons, prêts à entrer en scène. Il regarda Samara d'un œil fourbe. Mustafa lança à la jeune femme :

« Il est à présent certain que tu viens en avance pour être seule avec Anis ! »

Elle rétorqua, soumise :

« Ne vois-tu pas que c'est le garçon de mes rêves ?

— Nous sommes des garçons, mais nous avons bien la quarantaine ! » s'exclama Ahmad Nasr.

Am Abdu apparut, sans prévenir, derrière le paravent, et annonça :

« Une péniche a coulé à Imbaba ! »

Les têtes se tournèrent vers lui avec un certain intérêt. « Y a-t-il eu des noyés ? demanda Ahmad Nasr.

— Non, mais tous les biens ont coulé.

— Nous souffrons d'une pénurie de biens matériels et non d'une pénurie de personnes ! s'exclama Khalid Azzuz.

— Police secours est venue !

— Il aurait fallu que vienne aussi la police des mœurs !

— Pourquoi la péniche a-t-elle coulé ? demanda Layla.

— À cause de la négligence du gardien ! répondit le vieil homme.

— Pas du tout ! c'est le Très-Haut qui s'est emporté contre ceux qui y vivaient ! » dit Khalid Azzuz.

Ils approuvèrent et retournèrent au narguilé. Le vieil homme parti, Ali as-Sayid leur confia :

« J'ai rêvé une nuit que j'avais la taille et la corpulence d'Am Abdu ! »

Anis sortit de son silence habituel et dit :

« C'est parce que ta fuite dans les rêves et l'accoutumance est à la mesure de son gabarit ! »

Ils saluèrent son commentaire en riant, et Ali demanda :

« Mais que fuis-je, ô détenteur des plaisirs ?

— Le vide ! »

Il ajouta, lorsque les rires se calmèrent.

« Vous êtes tous des voyous modernes qui fuyez dans l'accoutumance et les illusions mensongères... »

Il évita de regarder du côté de Samara. Les démons de l'absurde ricanèrent et les commentaires fusèrent :

« Il a fini par parler !

— C'est la naissance d'un philosophe ! »

Il resta le centre d'intérêt, et Mustafa demanda :

« Que sais-tu de moi ?

— Tu fuis vers l'habitude et l'absolu, et des sentiments de médiocrité te taraudent... »

Il reconnut le rire de Samara dans le tumulte, mais il évita encore de la regarder. Il imagina son trouble, son visage, ses sentiments secrets, puis il continua :

« Nous sommes tous des voyous sans moralité, et nous sommes poursuivis par un effrayant génie appelé " la responsabilité "...

— Il faut que cette nuit entre dans les annales de la péniche ! »

Mustafa Rachid déclara :

« Je parie que l'herbe de cette nuit vient de Moscou !

— Anis, ô toi le philosophe, que sais-tu de Layla et de moi ? demanda Khalid.

— Tu es un libertin débauché, car tu n'as pas la foi, mais peut-être n'as-tu pas la foi parce que tu es un débauché... Quant à Layla, ce n'est qu'une pseudo-pionnière, libertine et toxicomane, et non une martyre, contrairement à ce qu'elle s'imagine...

— Tais-toi, langue de vipère ! » lui cria Layla.

Mais il continua en désignant Saniyya Kamil :

« Et toi, espèce de droguée, tu pratiques la polyandrie !

— Tu es complètement fou ! lui lança-t-elle.

— Mais non ! À moitié seulement puisque je suis à moitié mort !

— Comment oses-tu être aussi insolent !

— Tu es vraiment en colère, Saniyya... Il est pourtant notre maître..., dit Ali as-Sayid avec douceur.

— Je ne tolère pas qu'on m'insulte en présence d'étrangers... »

Le silence faillit supplanter la gaieté, mais Ragab dit avec fermeté :

« Il n'y a pas d'étrangers parmi nous ; Samara est à la fois avec nous et contre nous...

— Elle est avec nous, c'est vrai, mais contre toi seulement ! rétorqua Layla.

— Non ! s'exclama Anis, elle n'a que faire d'un homme qui fuit son vide intérieur grâce au sexe et à son accoutumance à la drogue... »

Ragab s'écria avec bonne humeur :

« Quelle soirée extraordinaire, les amis!

— Qui croirait à t'entendre que tu es Anis le muet !

— Peut-être rumine-t-il un livre sur la décadence de la civilisation ! »

J'ai toujours au fond de moi une bombe que je réserve pour le directeur général. Que le rire qui explose dans mes entrailles cesse, afin que je puisse enfin voir les choses. Les chaînes qui relient la péniche à la berge se sont-elles brisées ? La pleine lune se lance à l'assaut de la porte fragile qui donne sur le pont... Quant aux moustiques, ils ont enfin compris le secret de leur fascination dévastatrice pour la clarté de la lampe...

« Tu n'as pas l'air en forme ! » lança Ragab à Samara.

Elle répondit sans regarder Saniyya, mais en lui dédiant son ton aigre-doux :

« C'est l'humeur type de celle qui se sent étrangère...

— Ne fais pas de mauvais esprit, Saniyya est une femme très tendre et c'est une mère affectueuse, même dans ses amours... »

Saniyya reprit avec bienveillance :

« Merci, tu es le mieux placé pour m'excuser auprès de Mlle Samara...

— Ne faites pas la paix pour de bon, dit Khalid Azzuz, sinon nous allons sombrer dans l'ennui ! »

On n'entendit plus que les glouglous du narguilé, leurs ondes se propageant sous les rayons de lune. Son sang battant dans ses veines lui souffla que le sommeil serait difficile en cette nuit houleuse, et que son insomnie serait celle d'un amoureux sans amour. Il se souvint des plus célèbres vers des poètes déments. Son entourage s'évanouit, et il resta seul dans la clarté de la nuit. Il vit un chevalier fendre l'air sur son destrier, au ras de l'eau, et il lui demanda qui il était. Il dit se nommer Al-Khayyam et déclara avoir enfin pu échapper à la mort. Il fut réveillé par la vision de sa jambe, sous une lumière bleutée, étendue contre le plateau, longue, osseuse, terne, poilue, aux orteils épais, aux ongles arqués, tant il avait négligé de les couper, et il faillit la renier, s'étonnant qu'un membre de son corps lui paraisse si étranger...

Il prêta l'oreille à une question posée par Mustafa Rachid : « Sommes-nous vraiment tels que nous a décrits notre maître ?

— On ne peut ni le fuir ni le contredire, mais nous pouvons interpréter ses portraits comme il nous convient.

— Notre péniche est l'ultime refuge de la sagesse humaine ! s'écria Ali as-Sayid.

— S'adonner au rêve est-il une forme de fuite ?

— Les rêves d'aujourd'hui sont les réalités de demain...

— Contempler l'absolu est-il une fuite ?

— Qu'avons-nous d'autre à faire ?

— Et le sexe, est-ce une fuite ?

— Mais non, voyons, c'est la création par excellence !

— Et la drogue est-elle une fuite ?

— Une fuite devant la police, si tu veux !

— Est-ce une fuite devant la vie ?

— La drogue, c'est la vie !

— Alors, pourquoi avons-nous agressé notre maître ?

— Cela fait dix ans qu'il n'a pas fait le pitre, et il a voulu défier le mauvais œil...

— Quelle nuit extraordinaire, les amis ! » s'écria Ragab al-Qadi.

Ahmad Nasr leur imposa un semblant de silence, pour ne pas gâcher la saveur de cette soirée. Le narguilé bien tassé fit un dernier tour... La lune se voila. Anis fut le seul à lire la défaite dans le regard de Samara. Leurs visages paraissaient pâles, ensommeillés, et sérieux malgré eux. Mustafa examina Samara attentivement et lui demanda son avis sur ce qu'elle venait d'entendre, mais Ragab l'interrompit :

« Les fins de nuit ne sont pas faites pour la discussion !

— Pour quoi sont-elles faites ? »

Tous partirent, sauf Ali as-Sayid et Saniyya Kamil. Mais ils ne tardèrent pas à disparaître à leur tour, et Anis resta seul. Am Abdu arriva comme d'habitude, accomplit sa besogne, et s'en alla sans qu'ils aient échangé une parole. Il se traîna sur le pont et vit la lune qui chatoyait au centre de la voûte céleste constellée d'étoiles. Elle lui confia dans un murmure que rien ne pouvait égaler leur péniche : l'amour est un jeu ancien et désuet, mais sur notre péniche c'est un sport... La perversion est une abjection dans les conseils et les instituts, mais c'est une liberté sur notre péniche... Les femmes ne sont que traditions et archives dans les foyers, mais sur notre péniche, ce sont de séduisantes adolescentes... La lune est un astre éteint, mais elle est poésie sur notre péniche... La folie est partout une maladie, mais elle est philosophie sur notre péniche... Où qu'elle soit, une chose est une chose, mais elle s'anéantit sur notre péniche...

Ô toi, le vieux sage Ibo Or, raconte-nous ton siècle, au cours duquel tout fut anéanti sauf la poésie, et fais-nous entendre ton chant. Dis-moi ce que t'a dit le pharaon... Le sage Ibo Or s'avança en récitant :
« Tes commensaux t'ont menti
Ces années seront guerre et calamité.
— Ô sage, lui dis-je, raconte encore ! » et il chanta :

Qu'est-il arrivé à l'Égypte
La crue du Nil revient chaque année
Et celui qui ne possédait rien est à présent parmi
les riches.
Que n'ai-je élevé la voix à ce moment !

« Ô sage, lui dis-je, que sais-tu encore ? »
Il répondit :
« Tu es doué de sagesse, de clairvoyance et de justice
Mais tu laisses la corruption dévorer le pays...
Vois combien tes ordres sont méprisés
Et dois-tu ordonner pour que quelqu'un vienne te dire la vérité ? »

12

Anis fut réveillé par une voix qui murmurait son nom. Il ouvrit les yeux. Il était couché sur le dos à même le pont. Il vit dans le ciel un halo éclatant dénonçant une invisible lune. Dans quel espace et quel temps se trouvait-il ?

« Monsieur Anis ! »

Il se retourna et vit Samara, debout sur la passerelle. Il s'appuya sur ses bras et s'assit, levant vers elle des yeux encore embués de sommeil.

« Je suis désolée de revenir à une heure aussi tardive !

— Sommes-nous toujours au cœur de la même nuit ?

— Cela fait une heure que nous sommes tous partis... Je m'excuse encore... »

Il se souleva pour appuyer son dos contre le mur et tenta de se souvenir.

« Je suis revenue de la place Tahrir, après que Ragab m'y eut accompagnée.

— Enchanté ! tu peux prendre ma chambre si tu daignes l'occuper !

— Je ne suis pas revenue pour dormir ! dit-elle avec impatience, tu le sais très bien ! »

Puis, les yeux baissés, elle ajouta calmement :

« Je veux mon agenda...

— Ton agenda ? demanda-t-il en fronçant les sourcils.

— S'il te plaît. »

Les démons de l'ironie s'étirèrent dans son esprit.

« Tu m'accuses de vol ! protesta-t-il.

— Non, pas du tout, mais tu as dû tomber dessus, d'une manière ou d'une autre !

— Cela veut dire que je l'ai volé !

— Je t'en prie, rends-le-moi ! Je n'ai pas de temps à perdre en discours !

— Tu te trompes.

— Je ne me trompe pas.

— Je refuse d'entendre une nouvelle accusation !

— Je ne t'accuse de rien. Rends-moi l'agenda que j'ai perdu ici.

— Je ne sais pas où il est.

— Je t'ai entendu répéter ce qui y est écrit !

— Je ne comprends pas.

— Mais si, tu comprends très bien, ce n'est pas la peine de me persécuter !

— La persécution n'est pas mon passe-temps favori !

— La nuit va bientôt s'achever !

— Ta maman te demandera des comptes sur ton retard ? dit-il d'un ton badin.

— Monsieur, soyez sérieux, au moins pour une minute...

— Nous ne connaissons pas le sérieux...

— As-tu l'intention de divulguer le contenu de mon agenda ? demanda-t-elle angoissée.

— Comment le pourrais-je, puisque je ne sais rien de lui !

126

— Sois gentil, comme d'habitude !

— Je ne suis pas gentil. Je suis moitié fou, moitié mort !

— Ce qui est écrit dans l'agenda n'a rien à voir avec ce que je pense de vous... C'est seulement une brassée d'idées que je garde pour écrire une pièce de théâtre...

— Nous revenons aux énigmes et aux accusations...

— Je compte beaucoup sur la noblesse de ton cœur !

— Pourquoi as-tu pensé à moi ?

— Tu as répété mes notes, mot pour mot !

— Tu ne crois pas aux associations d'idées ?

— Je crois surtout que tu vas me rendre mon agenda...

— Ainsi, tu t'imagines pouvoir comprendre en quelques jours ce que je n'ai toujours pas saisi au bout de plusieurs années ! »

Il rit, et son rire déchira le vide à la surface du Nil. Puis il dit sur un ton nouveau :

— Tu te fais de fausses idées, crois-moi.

— Enfin, tu capitules ! s'écria-t-elle avec soulagement.

— Je vais te le rendre, mais il ne te servira à rien.

— Ce ne sont que des remarques élémentaires... Il me reste à les approfondir...

— Tu es vraiment une fille détestable !

— Que Dieu te pardonne...

— Tu n'es pas venue pour l'amitié mais pour espionner !

— Ne te méprends pas, protesta-t-elle, je vous aime sincèrement, et je désire vraiment devenir votre amie. En outre, je suis persuadée que tout individu cache en lui un héros et je voulais faire votre connaissance pour écrire une pièce de théâtre...

— Ne te fatigue pas à inventer de fausses excuses, parce que en réalité tout cela m'est parfaitement indifférent. »

Puis il ajouta, en lui tendant l'agenda :

« Pour les cinquante piastres, il me plaît assez de rester ton débiteur ! »

Elle demanda avec agacement :

« Mais comment... Je veux dire...

— Comment je les ai volés ? C'est très simple : sur la péniche, nous considérons tout ce qui nous tombe sous la main comme propriété de la communauté.

— Je t'en prie, donne-moi une explication plus satisfaisante !

— Ce fut un irrésistible caprice ! dit-il en riant.

— Est-ce que tu en avais besoin ?

— Je les ai donnés à une des filles du Nil qu'Am Abdu m'avait amenée.

— Tu en avais donc besoin...

— Mais non ! Je ne suis pas pauvre à ce point !

— Alors, pourquoi ?

— En t'exploitant de cette manière, je me rapprochais de toi, en quelque sorte !

— À vrai dire, je ne comprends pas.

— Moi non plus !

— Je commence à douter de ma méthode...

— Il vaudrait mieux que tu n'aies pas de méthode du tout ! »

Elle rit et il ajouta :

« Sauf pour ce qui te conduit à l'homme que tu désires ! »

Elle rit de nouveau et il reprit :

« Ton manège n'a échappé ni à moi ni aux autres. »

Elle s'apprêtait à s'en aller, mais elle se ravisa, curieuse.

« Tu es venue pour Ragab ! » dit-il.

Elle eut un rire dédaigneux et il ajouta, en désignant la chambre close :

« Prends garde à ne pas réveiller les amoureux !

— Je ne suis pas telle que vous l'imaginez, je suis une femme... »

Il l'interrompit :

« Si tu es vraiment une femme, prouve-le-moi en venant dans ma chambre !

— Tu es trop gentil... Mais je ne te plairais pas !

— Pourquoi ?

— Parce que c'est terrible une femme sérieuse !

— Mais, je n'invite que des femmes sérieuses !

— Que Dieu te pardonne !

— Elles ne connaissent pas l'absurde ; elles travaillent jusqu'au petit jour, sans divertissement ni plaisir, mais dans un but progressiste, celui de vivre une vie meilleure.

— L'ennui sur cette péniche, c'est que vous ne faites pas la différence entre le sérieux et l'humour !

— Le sérieux et l'humour sont deux mots pour évoquer une même chose ! »

Elle soupira, voulant ainsi mettre un terme à la conversation, mais elle hésita un instant avant de lui demander :

« Comptes-tu divulguer le secret de l'agenda ?

— Si j'en avais eu l'intention, ce serait déjà fait.

— Je te supplie de me dire franchement ce que tu as dans la tête !

— Je te l'ai dit.

— Il vaut mieux que je disparaisse avant d'être chassée...

— Je ne veux ni l'un ni l'autre. »

Elle lui serra la main en guise d'adieu, et dit d'un ton complice :

« Merci ! »

Elle s'éloigna d'un pas pressé, tandis que la voix d'Am Abdu appelait à la prière de l'aube.

13

Bien que le groupe fût au complet, la péniche frémit sous le poids d'un pas. Ils se demandèrent qui cela pouvait être, puis se tournèrent vers la porte avec un intérêt non dénué d'inquiétude. Ahmad Nasr se leva pour intercepter le visiteur, mais un éclat de rire familier leur parvint. Puis la voix de Sana s'éleva :

« Hello ! » lança-t-elle.

Elle entra, suivie d'un jeune homme élégant. Ragab se leva pour recevoir l'arrivant :

« Bonsoir Ra'uf ! »

Puis il le présenta à ses compagnons :

« La célèbre vedette du grand écran ! »

Il s'assit, accueilli par une froideur quasi officielle, et Sana déclara, avec une audace qu'on ne lui connaissait pas :

« Il m'a empoisonnée avant d'accepter de me suivre ici ! Il avait des scrupules à venir troubler votre intimité ! Mais il est mon fiancé, et la péniche est ma famille ! »

Les félicitations fusèrent et elle reprit, soufflant une haleine qui empestait l'alcool :

« En outre, c'est un habitué, comme vous ! »

Elle montra le narguilé en riant. Anis restait indifférent à l'embarras latent et fit circuler le narguilé avec ardeur.

« C'est un grand jour pour toi, Ra'uf, reprit Sana, tu as là le célèbre critique Ali as-Sayid et le fameux écrivain Samara Bahgat ! Ceux qui s'entendent à fumer le narguilé ne peuvent avoir des goûts ou des opinions bien différents !

— Mais Samara, malheureusement, ne fait pas bon ménage avec le narguilé ! » déclara Ragab.

Elle demanda, ironique :

« Alors, pourquoi s'obstine-t-elle à venir sur la péniche ? »

Ra'uf lui murmura à l'oreille quelques mots inaudibles, qui la firent rire avec insouciance. Am Abdu vint changer l'eau du narguilé et, après son départ, Sana dit à Ra'uf :

« Te rends-tu compte que ce monument tout entier n'est qu'un seul homme ! »

Elle fut la seule à rire de sa plaisanterie. Un silence tendu régna pendant un quart d'heure, puis Ra'uf la persuada qu'il était temps de partir. Il se leva, la tirant par le bras, et s'excusa :

« Je suis désolé, il faut que nous allions à un rendez-vous urgent... Au revoir... »

Ragab les raccompagna jusqu'à la porte, puis revint s'asseoir. L'atmosphère se figea, malgré la ronde du narguilé. Ragab ébaucha de tendres sourires pour Samara, mais elle déclara, en montrant le narguilé :

« En dépit de tout ce que j'ai dit, personne ne me croit...

— De toute façon, ce n'est pas une accusation déshonorante ! rétorqua Layla Zaydan.

132

— Sauf venant d'ennemis... »

Ragab reprit avec candeur :

« Tu n'as pas d'ennemis, à part la lie bourgeoise ! »

Elle parla des rumeurs qui couraient dans le milieu de la presse. Elle leur rappela qu'elle habitait auparavant le quartier du Manyal, et que ses retours tardifs à la maison suscitaient les commentaires des voisines.

« Lorsque maman leur dit que mon travail de journaliste m'obligeait à cela, elles lui demandèrent ce qui m'obligeait à être journaliste !

— Mais tu habites à présent rue Qasr al-Aini... », lui dit Ragab.

Mustafa Rachid tenta de secouer Anis, en espérant qu'il recommencerait le numéro de la veille et dissiperait la morosité de la réunion, mais celui-ci ne sortit pas de son univers. Il pensait à ce cercle vicieux qui l'assiégeait chaque jour : les levers et les couchers du soleil et de la lune, les arrivées et les départs au ministère, les accueils et les adieux des amis de la péniche, l'éveil et le sommeil... Ce cercle vicieux donnait un avant-goût de la fin qui transforme toute chose en néant. Les pères et les ancêtres avaient tournoyé à leur rythme... La terre attend sans impatience que nos espoirs et nos joies viennent fertiliser son sol. Qu'importe si les passions se consument à travers des nuages de fumée mêlés à une senteur magique, mystérieuse et interdite !

Quant à Layla, elle se tourmente pour un amour stérile et s'enfonce dans les profondeurs de l'espace, comme un vaisseau spatial qui a dévié de son orbite. Le dieu du Sexe tend la jambe jusqu'à poser sa chaussure blanche contre le foyer du narguilé, en lançant à la belle et ennuyeuse jeune femme de séduisants regards charbonneux. Les commentaires sur Sana et son fiancé allèrent bon train, mais Ragab n'y participa pas. Et lorsque l'assemblée s'aperçut de sa totale dévotion à Samara, Mustafa Rachid s'écria :

« Nous sommes ravis d'être aujourd'hui les témoins d'une grande histoire d'amour !

— Appelons-la par son vrai nom..., rétorqua Khalid Azzuz.

— Je t'en supplie, ne gâche pas notre rêve ! dit Ahmad Nasr.

— Ce qu'il y a de nouveau, ajouta Layla Zaydan, c'est que l'un des deux protagonistes est sérieux !

— Sais-tu quelle est l'attitude de l'amoureuse sérieuse face à l'amoureux voué à l'absurde ? demanda Khalid Azzuz.

— Elle le guérit de son absurdité !

— Et si l'absurde était le principe essentiel de sa vie ?

— Il faut que l'amour triomphe à la fin... »

Samara partit d'un rire narquois et Khalid déclara :

« Cela m'intéresse de voir une femme sérieuse aimer, car voir le pied d'un ministre glisser, c'est beaucoup plus drôle que de voir glisser celui d'un acrobate !

— En amour, il n'y a pas de différence entre absurdité et sérieux ! dit Ali as-Sayid, le sérieux est une façon de voir toutes choses sous un angle pratique ; il en va de même pour les questions personnelles... »

Khalid cligna de l'œil vers Samara et demanda :

« Auquel des deux crois-tu qu'elle s'intéresse en ce moment ? »

Les rires fusèrent, puis Khalid demanda à nouveau :

« Avons-nous un espoir de voir les choses évoluer vers des préoccupations d'intérêt général ?

— Ses espoirs sont liés à la nouvelle génération... »

Khalid regarda Ragab en disant :

« Il est évident que la génération des quarante ans n'est plus bonne que pour l'amour...

— Si seulement cela pouvait être vrai !

— La nouvelle génération est meilleure que la nôtre ! déclara Ahmad Nasr.

— N'y a-t-il aucun espoir que nous changions ?

— Nous changeons souvent au fil des pièces de théâtre et des films, et c'est le secret de leur faiblesse. »

Ali as-Sayid ajouta :

« C'est aussi le secret de la réussite des comédies qui nous montrent dans notre vérité...

— Pourquoi ne reconnais-tu pas cela dans tes articles ?

— Parce que je suis un hypocrite... Je visai par là les comédies étrangères... Les comédies locales finissent généralement par la métamorphose subite de l'acteur comique en un prédicateur imbécile... C'est pour cela que le troisième acte est d'ordinaire le plus mauvais puisqu'il est écrit en réalité pour la censure... »

Khalid se tourna vers Samara et déclara :

« Si tu pensais un jour écrire une pièce sur des gens comme nous, je te conseille, en collègue, de choisir la comédie, je veux dire la farce, ou l'irrationnel, les deux revenant au même...

— Une idée qui mérite d'être étudiée ! s'écria-t-elle, en ignorant les regards d'Anis.

— Évite les héros engagés qui ne sourient pas, ne parlent que d'idéal, exhortent les gens à faire ceci ou cela, aiment sincèrement, se sacrifient, ânonnent des slogans, et ruinent le spectacle en fin de compte tant ils sont antipathiques...

— Je suivrai ton conseil et écrirai pour les autres, ceux qui ruinent le spectacle tant ils sont sympathiques !

— Mais ceux-là aussi ont un problème artistique ; ils vivent sans foi ; ils passent leur temps dans l'absurdité pour oublier qu'ils seront bientôt changés en cendres, os, limaille, azote, nitrogène et eau... En même temps, ils se tourmentent à l'idée que la vie quotidienne leur impose les variations d'un sérieux acéré, insensé, et que les fous autour d'eux les menacent de destruction à chaque instant. De telles personnes ne travaillent ni n'évoluent...

— Alors qu'en fais-tu dans une pièce que tu espères à succès ?

— Là est la question ! Il y a aussi un autre problème : le sympathique ne se différencie de l'antipathique que superficiellement. En effet, il ne représente pas un personnage consistant, mais il est formé de divers éléments en décomposition, comme un édifice en ruine... Nous pourrions distinguer une maison d'une autre, mais comment différencier deux tas de pierres, planches, verre, béton, ciment, terre et enduit ? Ils sont comme des tableaux modernes. Ils se ressemblent tous. Alors comment justifies-tu la pluralité des personnages sur scène ?

— Tu es sur le point de me conseiller de renoncer à la littérature !

— Pas du tout, je dis simplement que, de même que les braves filles sont pour les braves gars et les scélérates pour les scélérats, le théâtre de l'absurde est dédié à ceux qui sont voués à l'absurdité... L'ami

Ali as-Sayid ne te tiendra pas rigueur de l'absence d'événements, de personnages ou de dialogues, et nul ne t'embarrassera en te posant des questions sur le sens de ceci ou cela... Et puisqu'il n'y avait pas là de bases pour une appréciation, personne ne prendra la peine de te rabaisser. Tu en trouveras même pour te louer et pour te dire avec sincérité que tu as exprimé la vérité d'un monde dont l'essence est l'anarchie, à travers un théâtre anarchique !

— Mais nous ne vivons pas dans un monde dont l'essence est l'anarchie ! »

Il dit en soupirant :

« Voilà ce qui nous sépare, toi et moi. Tu peux retourner dès à présent aux regards de l'ami Ragab. »

Il n'y a rien ici qui tourne avec certitude ou qui connaisse son but, si ce n'est le narguilé. Dans peu de temps, le sommeil descendra de son univers secret parmi les étoiles, et fera taire les langues. Il est probable que la passion nouvelle se concrétisera en un baiser échangé au cours des dernières heures de la nuit, sous le goyavier. La terre, auparavant, a tourné pendant des millions et des millions d'années, pour enfin engendrer cette séance sur le Nil... La lune disparut de son regard, mais il vit le gecko courir, s'arrêter et repartir sur la porte donnant sur le pont, comme s'il cherchait quelque chose.

« Pourquoi le mouvement existe-t-il ? »

Ils se tournèrent vers lui, espérant une surprise, et Mustafa demanda :

« De quel mouvement parles-tu, ô toi, notre maître ?

— De n'importe lequel... », grommela-t-il, sans cesser de s'activer.

14

Lors de la journée de congé officiel du nouvel an, Anis passa son temps entre le pont et le salon, dans une sensation de parfaite harmonie. Peu avant le coucher du soleil, Am Abdu vint préparer la pièce et lui souhaita une bonne fête pour la troisième ou quatrième fois, pensant toujours ne l'avoir pas encore fait. Anis lui demanda ce qu'il savait de la fête, et Am Abdu répondit que c'était le jour où le Prophète avait fui les impies, maudits soient-ils...

« Ils envahiront bientôt la pièce que tu prépares ! » s'exclama Anis.

Le vieux rit, peu convaincu, et Anis poursuivit d'un ton badin :

« Toi, Am Abdu, tu fuis dans la foi !

— Fuir... Je suis venu un jour jusqu'ici, perché sur un wagon de train...

— De quel village ?

— Oh...

— Quel crime fuyais-tu ?

— ... »

Il s'est résolu à l'oubli ; peut-être s'est-il enfui à la suite d'un méfait, ou peut-être a-t-il été porté par la vague de la révolution de 1919... Il ne sait plus et personne ne le saura jamais.

Il demanda, poussant plus loin la plaisanterie :

« Es-tu sérieux Am Abdu ?

— Bah !

— Ne sais-tu pas que Samara est une nouvelle prophétesse ?

— À Dieu ne plaise !

— Elle a fait de nous une armée et nous combattons le néant, puis nous avancerons...

— Jusqu'où ? demanda naïvement le vieil homme.

— Jusqu'à la prison ou l'asile... »

Avant d'aller faire la prière du couchant, Am Abdu ajouta :

« Je cherche un chat. Il y a trop de souris sur le pont... »

Les amis ne tardèrent pas à arriver, tous un peu en avance, pour fêter le jour de congé. Anis se mit à l'ouvrage. Ils parlèrent un moment de leurs problèmes. Ragab annonça sa décision de demander désormais un cachet de cinq mille livres égyptiennes pour ses films. Khalid Azzuz le félicita et lui dit qu'il conforterait ainsi son appartenance au socialisme arabe. Ragab éclata de rire, mais ne fit pas de commentaire. Il se mit à parler de Sana, qui s'affichait avec Ra'uf dans les réunions et aux studios, en se disant sa fiancée et en affirmant que les fiançailles ne seraient pas couronnées par le mariage. Layla Zaydan demanda alors :

« Jusqu'à quand le matelas de la sagesse restera-t-il vacant ? »

Ali as-Sayid répondit :

« La délégation de journalistes est rentrée de sa visite des usines hier, et Samara viendra probablement ce soir. »

Khalid Azzuz interrogea alors Ragab :

« Parle-nous franchement de tes relations avec elle ! »

Il sourit, sans répondre, et Khalid reprit :

« As-tu loué une garçonnière à notre insu ?

— Bien sûr que non ! Vous devez me croire ! Il n'y a pas de secret entre les gens de la péniche !

— Alors, tu dois reconnaître la première défaite de ta vie.

— Mais non ! Je n'ai pas encore concentré mon attaque, et n'ai pas encore retrouvé les souvenirs de mes amours platoniques d'antan !

— Mais alors, il y a amour ?

— Bien sûr !

— De ta part aussi ? »

Ragab prit une profonde inspiration, puis soupira calmement :

« Je ne suis pas dénué d'amour !

— D'amour " ragabien " ? demanda Saniyya Kamil.

— Oui, d'un genre nouveau !

— Cela veut dire qu'il n'est rien du point de vue essentiel...

— Nous verrons bien.

— Elle est sacrément jolie ! dit Ahmad Nasr.

— Elle a aussi une forte personnalité..., ajouta Ali as-Sayid.

— C'est, jusqu'à un certain point, un défaut chez une femme ! » déclara Saniyya Kamil.

Layla lui décocha un regard réprobateur et elle rectifia gaiement :

« Sauf exception !

— La gloire des conquérants se mesure à l'invulnérabilité des forteresses qu'ils prennent... », dit Ragab.

Layla Zaydan rétorqua :

« Mais la bombe atomique a enlevé aux forteresses toute valeur, et aux conquérants tout mérite !

— Elle a refusé un mariage somptueux, c'est un comportement digne d'admiration ! dit Ahmad Nasr.

— Ne juge pas avant de savoir ! » lui lança Saniyya Kamil ; puis, se tournant vers Ragab : « N'a-t-elle pas fait avec toi allusion au mariage, d'une façon ou d'une autre ?

— Le mariage vient parfois comme la mort, sans prévenir...

— Franchement, peux-tu sérieusement penser au mariage ?

— Non ! » répondit-il après une courte hésitation.

Mais cette brève indécision agit profondément sur les âmes.

Pourquoi ne porterais-je pas le foyer sur le pont pour me délecter du festival du feu ? Son incandescence est éternelle, contrairement à celle, falsifiée des étoiles. Or la femme ressemble à la poussière. On la reconnaît non pas à son odeur lourde, mais à son haleine brûlante, lorsqu'elle s'installe dans les profondeurs. Et malgré la fréquence de ses aventures, le secret du cœur de Cléopâtre est resté inviolé. L'amour de la femme est comme l'art engagé : on ne doute pas de la grandeur de ses buts, mais le soupçon plane quant à son honnêteté... Il n'est pas de créature qui profite autant de cette péniche que les souris, les cafards et les geckos. Et rien, mieux que la tristesse, ne sait prendre

d'assaut un dernier refuge sans qu'on l'y invite...
Hier, l'aube qui pointait m'a dit qu'en réalité
elle n'avait pas de nom.

Anis les écouta parler des viandes locales, du pois-
son russe, des devises, et du difficile équilibre Est-
Ouest, puis éclater d'un rire tonitruant. La péniche
frémit, annonçant un visiteur, et soudain le silence
régna. Saniyya Kamil murmura :
« Voilà la jeune mariée ! »
Samara entra, gaie et pétillante d'ardeur, elle les
salua avec enthousiasme, en leur souhaitant « bonne
fête ». On la questionna, sans tarder, sur son voyage.
Elle répondit « qu'il fut extraordinaire », et « qu'il fallait qu'ils le fassent pour devenir d'autres hommes »... Khalid promena son regard sur l'assemblée
et demanda :
« Est-ce que vous croyez vraiment que nous pourrions changer du tout au tout ? »
Ils se regardèrent et éclatèrent de rire. Mustafa
Rachid s'écria :
« C'est de ta faute ! tu ne nous as pas donné le
secret de ton sérieux et de ton enthousiasme !
— Je ne tomberai pas dans ce piège !
— Il est clair que tu participes comme nous des
vieilles croyances et que, comme nous, tu appartiens
à la génération qui se précipite vers l'abîme, alors,
comment as-tu pu trouver un sens à cela, et dis-nous
au moins quel est-il ? »
Elle hésita longtemps avant de déclarer :
« Il n'y a pas un sens à chercher, c'est la vie.
— Nous ressentons son élan vital dans nos pulsions naturelles et nous en usons alors le mieux possible...

— Pas du tout...

— Nous t'avons déjà dit... »

Elle l'interrompit :

« Vous savez très bien que certaines de nos pulsions idolâtrent la mort en secret.

— Quelle est l'issue ?

— Sortir de la coquille.

— De belles paroles, mais qui ne changent rien...

— La vie est au-dessus de toute logique.

— Méfie-toi, tu viens de tomber dans le piège ! » lui lança alors Ragab.

Am Abdu vint changer l'eau du narguilé. Ali as-Sayid le félicita de la qualité de la marchandise et le vieil homme déclara :

« Le revendeur m'a conseillé hier d'acheter une provision d'un mois, parce que la police surveille.

— Ne le croyez pas, c'est une manœuvre pour nous extorquer de l'argent.

— Et toi, Am Abdu, tu n'as pas peur de la police ? » demanda Samara.

Mustafa Rachid répondit pour lui :

« Il est si vieux qu'il est au-delà de la loi ! »

Une étoile brilla à l'horizon tel un sourire limpide. Il l'interrogea sur la police. Surveillait-elle vraiment le trafiquant ? Elle répondit qu'elle surveillait ceux qui étaient conscients, pas les haschaschins, et que les étoiles brillaient chaque fois qu'elles se rapprochaient de la Terre et s'éteignaient quand elles retournaient dans les profondeurs de l'espace. Elle dit aussi que certaines lueurs qui ornaient la voûte céleste étaient nées, à l'origine, d'étoiles que le néant avait enveloppées d'un linceul, et que la force qui te soumet à la chose est plus puissante que celle qui te soumet aux choses. Soudain, une étoile filante tomba du ciel, il eut l'impression qu'elle s'était posée sur les violettes, derrière la péniche.

« Tous les fonctionnaires de l'administration ont reçu des étrennes, sauf moi ! » dit-il.

Ahmad Nasr maudit le directeur, et Anis reprit :

« Je me suis planté au milieu de la pièce pour exprimer mon mécontentement, mais je fus pris d'un fou rire ! »

Ils s'esclaffèrent, mais il haussa les épaules. Ali as-Sayid se souvint de la façon dont ils fêtaient l'hégire à Qanatir, et Ragab al-Qadi déclara :

« Pour mieux fêter l'hégire, il faut partir[1] ! »

Son visage s'illumina. Une idée singulière venait de traverser son esprit. Il ajouta :

« Que diriez-vous d'aller explorer les ténèbres dans ma voiture ?

— Mais nous ne pourrons pas fumer !

— Nous partirions après minuit ! »

Samara applaudit à cette proposition. Ahmad Nasr déclara que mouvement et bénédiction allaient de pair. Personne ne s'opposa à cette idée, sauf Anis, qui grommela :

« Non ! »

La troupe allait-elle se caser dans deux voitures ? Non, elle irait dans une seule, sinon la promenade n'aurait pas de sens. Comment faire, puisque nous sommes huit et que la voiture peut en contenir six ? Layla n'a qu'à s'asseoir sur les genoux de Khalid, et Saniyya sur ceux d'Ali. L'enthousiasme pour cette équipée imprévue redoubla.

---

1. Jeu de mots sur le sens de *higra*, départ, historiquement celui du prophète Mohammad en 622 de La Mecque à Médine, date qui marque le nouvel an islamique.

« Non... », dit Anis avec nonchalance.

Mais ils insistèrent pour qu'il les accompagne. Une aventure comme celle-ci pouvait-elle se passer du Grand Maître ? Il refusa de bouger ou de changer de vêtements, mais ils insistèrent pour l'emmener, même en galabiah. Anis capitula de mauvaise grâce. À minuit tous se levèrent pour sortir. Ce départ à une heure aussi inhabituelle surprit Am Abdu qui se dressa comme un palmier devant sa hutte en demandant s'il devait nettoyer la pièce...

« Laisse tout en place jusqu'à notre retour ! » répondit Anis.

15

La voiture démarra, Ragab, Samara et Ahmad Nasr étaient assis à l'avant, tandis que les autres s'entassaient à l'arrière, comme un seul corps à cinq têtes. Ragab se dirigea vers l'avenue des Pyramides, presque vide à cette heure de la nuit. Il proposa Saqqara comme but du voyage, tout le monde approuva, ceux qui connaissaient la route comme ceux qui ne la connaissaient pas ; Anis, silencieux, se recroquevilla dans sa galabiah, écrasé contre la vitre de la portière. Ils enfilèrent l'avenue des Pyramides et obliquèrent vers Saqqara. La voiture roulait à une vitesse excessive sur cette route obscure et déserte. Puis la lumière des phares éclaira quelque peu le paysage. La route s'enfonçait dans des ténèbres sans fin, bordée de chaque côté par d'énormes filaos dont les plus hautes branches se rejoignaient, entourée d'un univers pastoral caressé par une brise légère, baigné de solitude et de silence... À gauche, s'étirait un canal obscur, dont la surface se teintait parfois d'un gris acier, sous la lumière pâle des étoiles. La vitesse de la voiture s'amplifia et l'air s'engouffra par les fenêtres, sec, vivifiant, gorgé de senteurs des plantes.

« Ralentis ! dit Saniyya Kamil à Ragab.

— Ne dépasse pas la vitesse permise aux haschaschins ! ajouta Khalid Azzuz.

— Es-tu un fou du volant ? » demanda Samara.

Il rit, ralentit quelque peu, et dit :

« Nous visitons une antique nécropole pharaonique, alors récitons la Fatiha[1] ! »

La voiture reprit sa vitesse initiale, et Khalid proposa de s'arrêter pour explorer les ténèbres. L'idée leur plut, Ragab ralentit, obliqua vers un espace terreux entre deux arbres, avant de s'arrêter. Les portières s'ouvrirent. Ahmad, Khalid, Saniyya, Layla, Mustafa et Ali s'extirpèrent du véhicule. Anis s'écarta de la portière fermée et s'assit enfin confortablement, secouant sa galabiah pour se mettre à l'aise et cherchant du pied sa sandale, perdue dans la bousculade. Lorsqu'ils l'invitèrent à les rejoindre, il émit un laconique « certainement pas ».

Ragab retint la main de Samara qui s'apprêtait à sortir, en disant :

« Nous ne pouvons pas laisser notre maître tout seul ! »

La petite troupe s'éloigna vers la rive du canal, en riant.

Ils se changèrent d'abord en spectres dansants sous la clarté des étoiles, puis disparurent dans l'obscurité et bientôt il ne resta d'eux que le son de leurs voix.

Anis demanda d'un ton neutre :

« Quel est le sens de cette équipée ?

— L'important, c'est l'équipée, pas le sens ! » répondit Ragab d'un ton badin.

1. Première sourate du Coran (du verbe *fataha* : ouvrir).

Samara grommela, mécontente de cette attaque voilée, mais Anis soupira d'un ton plaintif :

« L'obscurité me donne sommeil !

— Dors en paix, ô notre maître ! » dit Ragab dans un élan.

Ragab se tourna vers Samara :

« Il faut que nous parlions franchement... »

Il est difficile à celui qui assiste à une comédie amoureuse de dormir. La sincérité est de rigueur après minuit, sur la route de Saqqara... Son bras s'agrippa au dossier du siège. Tout peut arriver sur la route de Saqqara.

« Nous devons absolument parler de notre amour...

— Notre amour ?

— Notre amour ! Le nôtre ! C'est exactement ce que je veux dire !

— Il m'est impossible de pactiser avec un dieu.

— Et il est impossible que nos lèvres ne se soient pas encore rencontrées. »

Elle tourna son visage vers la campagne comme pour mieux écouter le chant des grillons et des grenouilles. Que les étoiles sont belles au-dessus des champs, murmura-t-elle... Quelles nouvelles idées ont-elles été couchées sur l'agenda ? Pourrons-nous un soir nous voir sur une scène de théâtre et rire à gorge déployée parmi les spectateurs ?

« Je sais ce que tu as envie de dire !

— Ah bon ?

— C'est que tu n'es pas comme les autres !

— C'est toi qui le dis !

— Mais l'amour...

— Mais l'amour ?

— Tu ne me crois pas ! »

Où est la vérité dans ces ténèbres ? Que signifient nos voix pour les insectes ? Tu as quarante ans et il faut que tu changes de rôle dans tes prochains films. Ne sais-tu pas comment Casanova s'est recroquevillé dans la bibliothèque du Duc ?

« Ne parle pas de la lie bourgeoise, s'il te plaît.
— Comment expliquer ta peur, alors ?
— Je n'ai pas peur !
— C'est donc un problème de confiance.
— Je t'ai déjà entendu dire cela dans un film !
— Peut-être bien que je n'ai pas cru au sérieux, mais j'ai cru en toi.
— C'est tout le problème du don Juan ! »

Des fantômes apparaissent dans les champs ou bien dans ma tête. Comme le village jadis. Le mariage, la paternité, l'ambition et la mort. Les étoiles ont vécu des milliards d'années, mais elles n'ont jamais entendu parler des stars de la terre. Là-bas, il n'y a pas de spectres, mais des arbres sauvages, abandonnés au milieu des champs.

« Je peux m'imposer la chasteté jusqu'à notre mariage !
— Notre mariage !
— Mais j'ai en moi un démon qui se déchaîne face à la routine...
— La routine ?
— Il te suffit d'un geste pour tout comprendre. Mais moi, je ne te comprends pas ! »

Où est le pont et où est le bruit des vagues qui s'y heurtent ? Et le narguilé, le parfum de l'eau et Am Abdu, où sont-ils tous ? Les idées qui brillent comme l'éclair, se heurtent aux spectres des filaos, puis disparaissent. Mais où vont-elles ?

« Pourquoi as-tu refusé d'épouser l'éminent monsieur ?

— Il ne me plaisait pas...

— Tu veux dire que tu ne l'aimais pas ?

— Si tu veux...

— Parce qu'il avait quarante ans, comme moi ?

— Ce n'est pas cela.

— La conviction, c'est important dans la liberté de choix, pas en amour !

— Je ne sais pas...

— Et la sexualité ?

— Voilà une question qui mérite d'être oubliée ! »

Anis s'écria, déchirant la paix nocturne :

« Ah ! quelle codification, quelle belle classification des âges, de l'amour et de la sexualité, ô progénitures de grammairiens ! »

Ils se retournèrent, gênés, puis éclatèrent de rire.

« Je croyais que tu dormais ! dit Ragab.

— Jusqu'à quand resterons-nous dans cette prison ?

— Nous sommes là depuis une heure seulement !

— Pourquoi ne nous suicidons-nous pas ?

— Nous essayons l'amour ! »

Les voix de leurs compagnons surgirent des profondeurs de la nuit. Puis leurs ombres, dispersées, apparurent et se rapprochèrent de la voiture, l'encerclant à l'avant. Bien sûr, mon cher, il était aisé de nous tuer, au milieu de cette solitude. Que ne sommes-nous au temps des chevaliers et des poètes brigands ! Khalid déclara avoir été sur le point de commettre le péché premier, sans la pudeur de la pseudo-pionnière. Mustafa Rachid ajouta :

« Dans l'obscurité, nous avons essayé de mettre notre modernisme à l'épreuve, en commençant par reconnaître nos fautes. »

Ragab loua cette brillante idée, et Mustafa ajouta :

« Chacun de nous a reconnu ses crimes !

— Ses crimes ?

— Enfin, ce qui est considéré comme tel par l'opinion publique !

— Quel a été le résultat ?

— Excellent !

— Combien y en a-t-il eu ?

— Des dizaines !

— Combien de délits ?

— Des centaines !

— Personne d'entre vous n'a commis une bonne action ?

— Le dénommé Ahmad Nasr !

— Tu veux peut-être parler de sa fidélité à son épouse ?

— Mais aussi de sa fidélité à des chaînes de magasin, à des produits...

— Et comment vous jugez-vous tous ?

— Nous avons été d'accord pour nous déclarer bons et honorables, et pour dire que la morale des temps révolus qui nous condamne, est bien morte... Nous sommes les pionniers d'une morale nouvelle que la législation n'a pas encore régularisée.

— Bravo ! Bravo ! »

Il s'absorba dans la contemplation des arbres qui sur toute la longueur bordaient la route, formant un ensemble esthétique parfait. Si leur place changeait, de chaque côté, les sciences et les connaissances s'effondreraient. Voilà un serpent enroulé autour d'une branche et qui veut dire quelque chose. Mais oui ! dis quelque chose qui vaille la peine d'être entendu... Maudit soit le vacarme !

« Laissez-moi donc écouter ! »

Ils rirent de son hurlement et Mustafa Rachid demanda :

« Que veux-tu entendre ? »

Ils s'entassèrent dans la voiture et il se trouva de nouveau coincé contre la portière. Le serpent disparut complètement... Ragab s'écria :

« Un chauffeur moderne va vous conduire ! »

Le moteur se mit en marche dans un grondement de tempête. Ragab conduisait comme un fou. Des rires hystériques fusèrent, se mêlant à des voix tremblantes ; puis des protestations et des appels au secours s'élevèrent. Les arbres s'écroulèrent, emportés vers l'arrière, et les corps furent submergés par une sensation frénétique de dégradation avec le pressentiment effrayant qu'ils allaient s'enliser dans les profondeurs d'un abîme.

« Fou ! C'est fou !

— Il nous condamne à mort sans la moindre pitié !

— Arrête ! Laisse-nous reprendre notre souffle !

— Non ! Non ! C'est assez ! Même la folie doit s'en tenir à une certaine limite ! »

Mais Ragab redressa la tête, pris d'une terrifiante ivresse ; il accéléra en hurlant comme un Peau-Rouge... Samara se trouva contrainte d'agripper son bras, et murmura :

« Je t'en prie...

— Layla pleure ! Rentrons ! » ordonna Khalid
excédé.

Les songes se sont enfuis, et seules les pulsa-
tions habitent encore la tête. Le cœur flanche
comme après une fumerie qui a mal tourné.
Ferme les paupières pour ne pas voir la mort de
tes propres yeux.

Soudain, un cri atroce déchira la nuit. Tremblant,
il ouvrit les yeux, et vit un spectre noir fendre l'air.
La voiture ballotta violemment et manqua se renver-
ser. Un puissant coup de frein les projeta vers l'avant,
et ils s'écrasèrent les uns contre les autres, percutant
les sièges et le pare-brise, tous unis dans un même
gémissement de douleur :

« Nous avons écrasé quelqu'un !

— Il est dix fois mort !

— Il fallait s'y attendre !

— Il fait nuit noire... »

Ragab cria d'une voix rauque :

« Reprenez-vous ! »

Il se leva à demi pour regarder vers l'arrière, puis
se rassit, mit le contact et fit démarrer la voiture.
Ahmad Nasr se pencha vers lui d'un air interrogateur.

« Il faut fuir ! » dit Ragab d'un ton résolu.

Un silence nauséeux les envahit et il ajouta :

« On n'a pas le choix... »

Personne ne soufflait mot... Samara finit par murmurer :

« Peut-être a-t-il besoin d'aide ?

— Il est mort. »

Elle demanda, en élevant la voix :

« Comment peux-tu en être sûr ?

— De toute façon, nous ne sommes pas médecins. »

Elle posa la question à l'ensemble du groupe :

« Qu'en pensez-vous ? »

Comme personne ne répondait, elle grommela timidement :

« Je pense... »

Il appuya soudain sur le frein, arrêtant la voiture au milieu de la route, et se tourna vers eux en disant :

« On ne m'accusera pas demain d'avoir décidé tout seul de fuir. J'attends... Qu'en pensez-vous ? »

Puis il s'écria, s'emportant contre leur silence :

« Répondez ! Je vous promets de faire ce que vous voudrez !

— Il faut fuir ! déclara Khalid, c'est la seule solution ! »

Ahmad Nasr s'exclama :

« Range-toi sur le bas-côté au moins, pour nous laisser une chance de réfléchir calmement !

— L'heure n'est pas aux tergiversations, je veux une réponse franche !

— Démarre ! dit Ali as-Sayid, il faut fuir, celui qui est contre n'a qu'à parler ! »

Mustafa Rachid ajouta avec impatience :

« Allez ! Vas-y ! sinon nous sommes perdus... »

Layla pleurait et ses pleurs gagnèrent bientôt Saniyya. Ragab se tourna vers Samara :

« Comme tu peux le constater, c'est la majorité ! »

Elle ne répondit pas, il démarra en ajoutant :

« Nous sommes sur terre ici, pas sur une scène de théâtre... »

La voiture filait à une allure raisonnable. Il

155

conduisait, rigide, le visage fermé, enveloppé d'un silence funèbre. Anis ferma les yeux, mais il vit le spectre noir fendre l'air. Crois-tu qu'il souffre encore ? Sait-il pourquoi et comment il a été tué, ou bien pourquoi il fut créé ? Était-il fini pour toujours ? La vie continuerait-elle comme si rien ne s'était passé ?

La voiture roula d'une traite jusqu'à la péniche, devant laquelle elle s'immobilisa. Ils sortirent en silence et Ragab alla examiner l'avant du véhicule. Am Abdu se leva pour les accueillir, mais personne ne se tourna vers lui. Leurs visages blafards et défaits apparurent à la clarté de la lampe. Ragab ne fut pas long à les rejoindre, les traits marqués par une dureté qu'on ne lui avait jamais vue.

Le silence devint insupportable et Ali as-Sayid finit par hasarder :

« Il n'est pas impossible que ce soit un animal...

— Le cri était humain..., rétorqua Ahmad Nasr.

— Tu crois que les enquêteurs vont nous retrouver ?

— Y penser ne nous conduira qu'à l'insomnie !

— Et pourtant nous savons tous que ce n'est qu'un malheureux accident, ajouta Ragab.

— Mais fuir est un crime ! murmura Samara.

— Il n'y avait rien d'autre à faire ! trancha-t-il, et la majorité était d'accord ! »

Il se mit à arpenter la pièce, du pont au paravent et déclara :

« C'est très triste, mais il vaut mieux oublier toute cette histoire...

— Si seulement nous le pouvions !

— Il le faut ! Tout autre comportement ruinerait la

réputation de trois femmes, compromettrait les autres, et me mènerait devant le tribunal... »

Am Abdu arriva. Ils le regardèrent avec mauvaise humeur, mais il demanda, sans rien remarquer :

« Est-ce que je peux faire quelque chose pour vous ? »

Ragab lui fit signe de partir.

« Je vais à l'oratoire... »

Une fois qu'il fut dehors, Ragab s'inquiéta :

« Vous croyez que le vieux a compris quelque chose ?

— Il ne comprend jamais rien ! répondit Anis.

— Il vaut mieux que nous partions ! » déclara Ragab nerveusement.

Khalid l'approuva :

« L'aube va se lever... »

Khalid, Layla, Ali, Mustafa et Ahmad s'en furent. Ragab dit à Samara :

« Je suis désolé de t'avoir fait de la peine... Mais viens ! Je vais te raccompagner. »

Elle hocha la tête.

« Pas dans cette voiture..., dit-elle avec répulsion.

— Crois-tu aux démons ?

— Non, mais je suis encore sous le choc...

— Essaie de ne plus y penser...

— Je suis anéantie !

— De toute façon, je ne te laisserai pas seule ; je t'accompagne jusqu'à un taxi... »

Il se planta devant elle jusqu'à ce qu'elle finisse par se lever.

16

Anis entendit Am Abdu appeler à la prière. « Je suis seul », pensa-t-il. Il valait mieux qu'il appelle ou qu'il aille voir quelqu'un. Il tendit le bras vers l'obscurité et s'écria que le secret de son esprit venait de s'évanouir en fumée. Il rit de cette étrange pensée. Mais il était tout ce qu'il y a de plus éveillé, et l'aube était là. Las ! la voix ne parlait plus et il n'y avait pas trace de la baleine.

Où était le reste de poussière d'« herbe » ? La voiture l'avait-elle écrasée ? Al Hakim bi Amr Allah tuait sans compter, et lorsqu'il se crut Dieu, il priva les gens de leur plat quotidien... Pourquoi ai-je accepté de les accompagner ? J'ai ainsi approuvé un assassin, le meurtre, la vitesse démentielle, la fuite, la discussion acerbe, et le vote dans une démocratie sanglante. L'épouse et la fille ressuscitèrent, puis moururent de nouveau. Cette nuit, seuls les morts dormiront... Le hurlement avait nargué la perfection des astres... L'inconnu, venu de l'inconnu, allant vers l'inconnu... Quand donc l'esprit aura-t-il pitié de lui-même et s'abandonnera-t-il au sommeil ? Al Hakim bi Amr Allah grimpa au sommet de la montagne pour y exercer ses secrets transcendants, et n'en revint pas ; il n'en est pas encore revenu, on a perdu sa trace, les recherches se poursuivent toujours à l'heure qu'il est ; c'est pourquoi je dis qu'il est vivant, un aveugle l'a vu, mais nul ne le croit ; il est probable qu'il apparaîtra aux haschaschins, durant la nuit du destin[1]. Quant à l'inconnu, il fut tué comme fut tué le sommeil.

Son regard hésitant se porta sur le réfrigérateur, et il découvrit pour la première fois une ressemblance entre la courbe de sa porte et le front d'Ali as-Sayid. Il avait aussi deux yeux qui riaient aux larmes.

Ils ont dit qu'Al Hakim bi Amr Allah a été tué... Foutaises... Quelqu'un comme lui ne peut être tué... Mais s'il le voulait, il se suiciderait... Perché sur les sommets, son regard s'est posé sur Le Caire, puis il a ordonné à la montagne de détruire la ville. Et lorsqu'elle refusa d'exécuter ses ordres, il comprit que sa guerre était vaine, et il se suicida. C'est pourquoi je dis qu'il est vivant et qu'il apparaîtra probablement aux haschaschins, durant la nuit du destin.

Du jardin lui parvint la voix d'Am Abdu qui revenait en marmonnant : « Au nom de Dieu, le Clément, le Miséricordieux. » Il l'appela et le vieil homme se précipita en s'étonnant :

1. La nuit du destin est celle des dix dernières nuits du mois de ramadan pendant laquelle, suivant la tradition musulmane, le Coran est « descendu ».

« Tu ne dors pas encore ! »

Anis lui demanda avec anxiété :

« As-tu pris ce qui restait d'herbe ?

— Bien sûr que non !

— Je l'ai cherchée partout ; je ne sais pas où elle a disparu...

— Pourquoi ne dors-tu pas ?

— Ma tête s'est vidée au cours de cette virée funeste...

— L'aube s'avance, il faut que tu dormes ! »

Lorsque le vieil homme fit mine de partir, il lui demanda :

« Am Abdu, as-tu jamais tué quelqu'un dans ta vie ?

— Bah ! »

Il soupira puis s'écria avec colère :

« Va-t'en ! »

Il se mit à aller et venir, jusqu'à ce que la fatigue l'envahisse. Il sortit sur le pont et se jeta sur un matelas ; mais sa profonde lassitude le fit désespérer du sommeil. Et l'absence du kif sur la péniche redoubla son angoisse et ses obsessions. Il pensa qu'il lui fallait faire sienne la patience des étoiles. Les lumières électriques de la route s'éteignirent, et la nature reprit ses couleurs. Les premières lueurs de l'aube apparurent et l'horizon se teinta d'un mauve presque violet, puis la pénombre reflua, ressuscitant les acacias et les mimosas. Il se leva, à la fois désespéré et agressif. Il se lava le visage et le cou, se versa un verre de lait et le but du bout des lèvres. Il se fit un café et l'avala. L'endroit soudain lui déplut. Il s'habilla et quitta la péniche pour errer dans les rues jusqu'à l'ouverture des bureaux.

Pour la première fois, il était parfaitement sobre,

éprouvant des sensations à mille lieues des ivresses, des chimères et des rires. La rue s'étendait devant lui, longue, bordée d'arbres, dont les hautes cimes se rejoignaient au loin comme un front plissé. Pour la première fois, il voyait les péniches et les barges[1] ancrées le long d'une berge entourée de jardins semblables les uns aux autres. Le plus bizarre est que chaque péniche a sa personnalité, sa couleur, son aspect neuf ou vieillot, et ses figures humaines qui surgissent de derrière leurs fenêtres. La chose la plus étrange qu'il découvrit fut un palmier, avec ses grappes de fruits jaunes, alors qu'il n'aurait jamais pensé qu'il y en eût un seul sur la rive. Il y avait là de nombreux arbres, de taille, de forme et de fleur différentes, dont il ignorait les noms ou les particularités. Un troupeau de chameaux conduit par un homme passa près de lui, et il se demanda d'où il venait et où il allait. Il fut alors persuadé que les êtres humains se débattaient dans une détresse mêlée de tension et de souffrance. Sur une pancarte, accrochée à la porte d'une péniche, il lut les mots : *Étage meublé à louer*. Voilà un appartement vide... Une femme d'âge moyen le regardait du haut de l'étage supérieur. Son imagination est incapable d'évaluer les éventualités qui pourraient se présenter au nouveau locataire célibataire ; mais comment pouvait donc s'écouler la journée de quelqu'un de sobre ? Il buta contre un tronc d'arbre. Sa taille énorme l'arrêta, et il leva les yeux vers les branches qui se déployaient comme une voûte fabuleuse, à la cime baignée dans une brume

1. *Dahabiah (s)* en arabe : longue barque pouvant dépasser trente mètres, très effilée en proue, terminée à l'arrière par un habitacle surmonté d'un pont couvert, utilisée jadis sur le Nil pour le transport des voyageurs.

matinale, basse et translucide. Puis son regard descendit le long du tronc millénaire jus-qu'aux ramifications des sombres racines, agrippées au trottoir comme si elles y plantaient leurs griffes, dans une crispation de défi et de douleur. Un morceau d'écorce arrachée, en forme de porche gothi-que, l'invitait à pénétrer au cœur de cet arbre dont la plaie ouverte laissait apparaître une chair jaune pâle. Il se dit que la longévité des arbres suffisait à elle seule à convaincre ceux qui refusaient de croire que les plantes sont des créatures sans âme. Il reprit son chemin, laissant errer son regard sur ce qui l'entourait, l'esprit traversé par d'étranges pensées. La couleur de l'existence était-elle le rouge ou le jaune, l'écorce de l'arbre ressemblait-elle à la peau d'un cadavre ? Mais d'ailleurs, avait-il jamais vu la peau d'un mort... Il eut la conviction que quelque chose sur la route s'opposait à lui dans un geste de défi opiniâtre et il se souvint brusquement qu'il ne s'était pas rasé — chose qu'il n'omettait jamais de faire quand il avait fumé — et que cela allait achever de compliquer la situation. Une voix lui demanda l'heure, mais il ne s'en soucia pas. Il marcha d'un pas pesant, jusqu'à ce qu'un vendeur de journaux lui fît signe ; mais il s'éloigna avec indifférence. Il n'avait pas lu le journal depuis une éternité. Il ne savait des événements que les rumeurs que ressassaient ses compagnons au cours de leurs éternelles divagations. Qui étaient les ministres, quelle était la politique, comment les choses allaient-elles ? Sachez, monsieur, que tant que vous avancerez sans que rien ne se mette en travers de votre chemin, tant qu'Am Abdu vous apportera l'herbe chaque soir, tant qu'il y aura du lait dans le réfrigérateur, les choses iront infailliblement bien. Quant aux souffrances du réveil, aux accidents de voiture, et aux propos secrets de la nuit, nul ne sait encore à qui incombe la responsabilité de les élucider.

Il arriva en avance au bureau. À peine s'était-il installé sur sa chaise qu'une irrépressible envie de dormir le submergea. Il posa sa tête sur la table et sombra dans une profonde léthargie. Ses collègues l'invitèrent à discuter de la liste des sanctions. Il leur répondit que ce qui convenait le mieux au gouvernement, c'était la liste des Dix Commandements, et en particulier les clauses qui se rapportaient au vol et à la fornication, et il quitta la pièce. Il se dirigea vers le village. Des adolescents l'encerclèrent et lui jetèrent des pierres. Il les affronta en levant sa main armée d'une pierre, mais Adila l'arrêta en disant : « Je suis ton épouse ; ne me frappe pas ! » Il lui demanda des nouvelles de leur fille, elle lui répondit qu'elle l'avait précédée au Paradis éternel, et qu'elle évoluait parmi les immortels, les abreuvant d'eau douce. Une joie profonde l'envahit, il lui confia qu'il essayait depuis longtemps, mais en vain, de se souvenir de cela, et que la route du Paradis était bordée de filaos, que l'on ne pouvait y circuler de nuit, mais que la voiture l'avait empruntée pendant quelques minutes exténuantes de frayeur, qu'un être humain avait hurlé, mais sa voix s'était figée au fond de sa gorge, et personne ne l'avait entendue, puis elle avait fendu l'air et était retombée sur une branche... « C'était donc toi ! » dit-il avec étonnement : « Comment as-tu pu l'ignorer ? » répondit-elle. Il dit que la nuit distillait la noirceur et qu'il n'y voyait rien. Il parla longtemps, vainement, et elle lui demanda ce qu'il voulait. Il dit

qu'il voulait ce que partout il avait cherché, et qui
s'avançait à présent sous forme de nuage obscur, et
bientôt tomberait du ciel une seule pluie, qui suffi-
rait à abreuver les damnés de la terre ; puis il tendit
le bras vers elle, mais il aperçut Am Abdu qui arrivait
au bout du chemin, en courant, emplissant l'espace
de son corps, et la peur l'envahit sans raison ; il lui
dit adieu, rapidement, et s'en alla en courant de
toutes ses forces, sans s'arrêter ni se retourner...
Mais pendant tout ce temps il sentait le vieil homme
derrière lui, sur le point de le saisir... Il atteignit la
péniche et s'engouffra sur la passerelle, puis referma
la porte derrière lui. Là, à sa grande surprise, il
trouva l'assemblée au complet. Les compagnons
riaient comme à leur habitude, et il les embrassa
sans en croire ses yeux. Il leur dit qu'il venait de faire
un rêve effrayant, et Ragab lui demanda ce qu'il avait
vu. Je nous ai vus dans ta voiture, dit-il, et tu la
conduisais de façon démentielle. Nous avons heurté
un homme et il a fendu l'air de son corps. Ils rirent
longuement et Mustafa lui dit de s'enrouler désormais dans la couverture quand il dormirait. Il soupira et demanda qu'ils le fassent fumer. Samara lui
apporta le narguilé, car c'était elle qui faisait sa
besogne. Il en tira une longue et profonde bouffée,
jusqu'à ce que la tête lui tourne. Il se mit à se
moquer d'elle et répéta : « Nous te l'avions bien
dit ! » Elle repoussa le narguilé et se leva, puis se cei-
gnit les hanches d'une écharpe et se mit à danser en
les invitant à frapper des mains ; mais personne
n'obtempéra, bien sûr, puisqu'ils n'étaient que tous
les deux sur la péniche, et il se mit à frapper des
mains pour elle, lui tout seul, puis il l'enlaça en lui
disant : « Je t'ai cherchée partout et j'ai demandé où

tu étais à Am Abdu. » À ce moment-là, des coups retentirent à la porte et la voix d'Am Abdu s'éleva qui criait d'ouvrir. Il l'entraîna par la main vers le réfrigérateur ; ils se glissèrent à l'intérieur et refermèrent la porte. Les coups redoublèrent à en faire trembler la péniche et la vibration dura jusqu'à ce qu'il ouvrît les yeux et vît son collègue qui le secouait en disant :

« Réveille-toi ! »

Il se frotta les yeux et un autre ajouta :

« Va chez le directeur général, il veut te voir. »

Il regarda sa montre. Il était près de dix heures. Il se leva en titubant, le cœur lourd, et alla se rincer le visage, avant de se présenter devant le directeur.

L'homme lui décocha un regard froid.

« Vous avez fait de beaux rêves ? »

Anis ne souffla mot, pris de douleur et de nausée.

« Je vous ai vu de mes propres yeux. Vous étiez profondément endormi !

— Je suis malade.

— Il fallait demander un congé.

— Je ne me suis senti mal qu'après mon arrivée.

— En réalité, vous êtes un vieux malade qui ne guérira jamais ! »

Une colère soudaine s'empara de lui et il s'écria d'un ton rude :

« Non !

— Ne me parlez pas sur ce ton !

— Je vous ai dit que j'étais malade, alors ne vous moquez pas de moi !

— Vous êtes devenu fou à coup sûr !

— Non ! lança-t-il d'une voix tonitruante.

— Espèce de dément, voilà à quoi mène la drogue !

— Il vaudrait mieux pour vous que vous teniez votre langue ! »

L'homme se dressa, le visage blême, et s'écria :

« Espèce de malappris ! Malfaiteur ! Toxicomane ! »

Anis saisit un porte-buvard qu'il projeta avec force contre la poitrine du directeur, l'atteignant au niveau de sa cravate. L'homme pressa le bouton de la sonnette en tremblant et Anis hurla :

« Si vous prononcez un mot de plus, je vous tue ! »

De retour à son bureau, il ne vit personne. Il s'assit, lugubre, complètement détaché de ce qui l'entourait.

Avant de partir, un de ses collègues s'approcha de lui en murmurant d'un ton plein de sollicitude :

« Je suis désolé de devoir t'apprendre qu'un ordre vient d'être donné pour signifier ton licenciement et ta comparution devant le tribunal des fonctionnaires. »

17

Anis se soumit à la fatalité et se dit que les pires catastrophes sont celles dont on rit. Lors du déjeuner, Am Abdu l'avait informé que l'on ne trouvait rien chez le revendeur et qu'ils avaient commis une erreur en négligeant son conseil. Le vieux tenterait sa chance chez un autre, mais il n'était pas certain des résultats de sa démarche. Voilà que les calamités s'amoncelaient comme des nuages d'hiver. Anis s'étendit sur son lit et se mit à parcourir quelques chapitres du *Siècle des martyrs*. Il lut longtemps, mais le sommeil ne venait pas. Les martyrs tombaient les uns après les autres, mais le sommeil ne venait toujours pas. Cet état lui fit soudain horreur, et il se leva pour se distraire en rangeant la pièce.

Lorsque les catastrophes se succèdent, les unes finissent par effacer les autres et un bonheur fou au goût étrange t'envahit. Tu peux alors rire d'une âme qui ne connaît plus la peur. En outre, on s'amuse bien au tribunal des fonctionnaires : Quel est votre nom complet ? Anis Zaki, fils d'Adam et Ève. Votre âge ? Je suis né mille millions d'années après la naissance de la

Terre. Votre métier ? Prométhée drogué. Votre salaire ? L'équivalent en espèces de vingt-cinq kilos de viande locale...

De toute façon, il devait bien y avoir un revendeur. Il sortit sur le pont et son oreille capta la voix d'Am Abdu qui dirigeait les croyants pour la prière de l'après-midi. Il se dressait devant eux comme une montagne, tous, gardiens de péniche, villageois et serviteurs se tenaient humblement derrière lui pareils à des nabots... Un convoi de felouques chargé de pierres sillonnait le Nil. Les vagues déferlaient, d'un brun tirant sur le vert, dans un calme monotone, comme si la sérénité régnait sur l'univers. Les acacias se dressaient sur la berge, telles des créatures d'un autre monde.

Quand Am Abdu revint, après la prière, il trouva tout en ordre. Anis entra dans le salon en clamant d'un ton léger :

« Tu me poursuis, le vieux !

— Quoi ?

— Ton image me poursuit jusque dans mon sommeil.

— Tout va bien, j'espère !

— Que ferais-tu si je te chassais de la péniche ? »

Il rit :

« Tout le monde aime Am Abdu...

— Aimes-tu cette vie, le vieux ?

— J'aime tout ce qu'a créé le Très-Haut.

— Mais la vie est haïssable parfois, n'est-ce pas ?

— Le monde est beau... Que Dieu te garde !

— Gare à toi si tu reviens les mains vides !

— Dieu y pourvoira ! »

La péniche frémit de son tressaillement familier et Anis regarda vers la porte pour voir ce premier visiteur. À peine Am Abdu avait-il disparu que Samara arriva, la mine renfrognée, le visage blême, le regard plein d'appréhension et d'angoisse, son dynamisme envolé. Elle lui serra machinalement la main, puis ils s'assirent loin l'un de l'autre. Elle remarqua avec étonnement l'ordre inhabituel de la pièce et murmura :

« La vie pourra-t-elle reprendre comme avant ?

— Rien ne sera plus jamais pareil...

— Je n'ai pas dormi une minute la nuit dernière ! dit-elle en baissant les yeux.

— Moi non plus ! »

Elle soupira :

« Une partie de moi est morte à jamais...

— C'est vrai que la mort est à nos trousses depuis hier ! »

Elle lui tendit le journal du soir :

Le cadavre presque nu d'un homme d'une cinquantaine d'années, la colonne vertébrale, les deux jambes et le crâne brisés, a été retrouvé ce matin sur la route de Saqqara, écrasé par un véhicule dont les occupants ont pris la fuite. L'homme n'a pas été identifié, on ne lui connaît pas de famille...

Il lut la nouvelle et jeta le journal en s'écriant :

« Nous retournons en enfer !

— Nous n'en étions pas sortis !

— En réalité, nous sommes des meurtriers...

— Oui ! Nous sommes en réalité des meurtriers... »

Il ajouta, en regardant le Nil :

« Par-dessus le marché, je viens d'être mis à la porte, mon seul avenir est le vagabondage ! »

Il lui conta l'histoire du directeur général. Ils échangèrent des regards morts, et elle lui exprima ses regrets. Puis elle lui demanda :

« As-tu d'autres revenus ? »

Son rire détourna la question.

« Mes compagnons paient le loyer de la péniche et assurent la totalité des dépenses de nos soirées.

— C'est rare que l'on soit licencié !

— Il va raconter partout que je suis un drogué et un débauché !

— Quelle misère, les catastrophes s'accumulent ! »

Chacun se réfugia dans sa coquille.

La péniche vibra soudain de frémissements successifs et la troupe arriva, arborant des visages étranges. Anis pensa qu'ils s'attendaient que Samara leur fasse des ennuis. Ragab, montrant le narguilé, demanda pourquoi il n'était pas allumé. Anis lui répondit « qu'il n'y avait rien », jugeant en lui-même qu'il devait avoir mieux à penser. Il était évident qu'ils avaient tous lu la nouvelle dans les journaux. Bien sûr... Et ils ne tardèrent pas à être au courant du désastre survenu avec le directeur général...

« Que de malheurs ! » soupira Ali as-Sayid.

Ahmad Nasr déclara, en insistant sur chaque mot :

« Il faut que nous fassions disparaître immédiatement le narguilé et tout le matériel ! »

Ils le toisèrent d'un air désapprobateur et il ajouta :

« Il est probable que le directeur fasse en sorte de provoquer une descente sur la péniche ! »

Il se leva subitement et se mit à jeter le narguilé, les foyers, le tabac et l'ensemble des ustensiles dans le Nil. Puis il se laissa tomber sur un matelas en disant :

« Considérez la péniche comme un endroit dangereux jusqu'à nouvel ordre ! »

Ils échangèrent des regards lugubres, sans trace d'affectation.

Anis finit par murmurer :

« Le paradis s'est enfui... »

Puis, comme personne ne soufflait mot, il ajouta :

« C'était une sortie funeste, pourquoi donc avez-vous voulu sortir ?

— Nous devons oublier le passé ! » dit Ragab sèchement.

Bien sûr, oublions ! mais nos visages ne veulent pas oublier...

Samara soupira :

« Comment oublier avec un mort sur la conscience ?

— C'est bien à cause de cela que nous devons oublier ! dit-il d'une voix plus rauque.

— Mais c'est au-delà de nos possibilités. »

Il la regarda longuement. Personne ne savait ce qui se passait dans sa tête. Personne ne savait rien des souffrances de l'amour. Les choses peuvent-elles empirer ? Ragab promena son regard sur l'assemblée, puis reprit :

« J'ai pensé à ce qui allait se passer ici avant de venir ; nous sommes loin de l'accident à présent et nous pouvons réfléchir à tête reposée ; il faut que nous parlions franchement.

— N'avions-nous pas décidé que l'affaire était close ? s'exclama Ali as-Sayid avec lassitude.

— Il semble que Samara ait une autre opinion ! »

Saniyya dit d'un ton angoissé :

« Cessez de parler de tout cela, je suis effondrée !

— J'ai passé une nuit d'enfer ! se plaignit Layla, l'avenir nous réserve un long châtiment, cela suffit !

— Mais, comme tu l'as fait remarquer, on dirait que Samara n'est pas du même avis... »

Ali as-Sayid se tourna vers Samara et lui dit d'un air grave et triste :

« Samara, dis-nous ce que tu penses, nous sommes tous dévorés de tristesse et de tourment, personne n'a pu trouver le sommeil... Aucun d'entre nous n'oublie le meurtre, et aucun n'a de plaisir à se l'imaginer. Nous partageons tes sentiments. La nouvelle nous a brisé le cœur... Un pauvre homme, probablement venu de sa campagne, inconnu et sans famille... Mais nous n'avons aucun moyen de réparer notre faute, n'est-ce pas ? Si on lui découvre des parents, nous trouverons un moyen pour les dédommager, mais que faire maintenant ? »

Elle ne souffla mot ni ne leva les yeux sur lui, il continua :

« Peut-être penses-tu au fond de toi que notre devoir est clair... Du point de vue théorique, c'est vrai, nous aurions dû nous arrêter et non fuir. Et lorsque nous avons eu la certitude de sa mort, nous aurions dû nous précipiter au poste de police pour nous reconnaître coupables, puis nous serions passés devant le tribunal pour payer le prix de notre crime, n'est-ce pas ?

— Je serais certainement jeté en prison ! dit Ragab.

— Et nous aurions tous subi l'humiliation du scandale, et toi aussi ! »

Mustafa ajouta :

« Et puis l'homme n'en ressuscitera pas pour autant, et il ne profitera pas de notre sacrifice...

— Je te connais mieux que les autres, reprit Ali as-Sayid, une fille remarquable, à tout point de vue, mais il faut faire preuve d'une certaine flexibilité pour affronter les épreuves de la vie. Ce regrettable accident n'est pas un problème national, ni une question de principe. C'est très simple : ne pas reconnaître le meurtre est une faute, nous avons une responsabilité que je ne nie pas. Mais c'est hélas un méfait très répandu. Te sommes-nous donc tous indifférents ? Veux-tu vraiment sacrifier notre bonheur et notre dignité, ton bonheur et ta dignité, pour rien ? »

Elle murmura en soupirant :

« Après cela, je ne serai jamais plus bonne à rien...

— Tu te tourmentes sans raison, des milliers de gens sont tués chaque jour inutilement, et le monde ne s'en porte pas plus mal ; tu trouveras toujours du travail et ton indispensable tolérance à notre égard ne te coupera pas de ton activité de journaliste, ni de ton élan bien connu vers l'essentiel, ni, ni, ni... Peut-être même t'incitera-t-elle à redoubler d'efforts...

— Comme nous y pousse parfois le sentiment de culpabilité !

— Tu n'es pas seule coupable, en tout cas, et cette faute nous obligera à réfléchir à toute chose... Déjà Ragab s'est véritablement transformé, grâce à toi, du moins en ce qui concerne sa vision de la femme et de l'amour... Pense à tout cela avec indulgence...

— Je vais vers une mort certaine ! s'écria-t-elle avec une violente amertume.

— Nous allons tous vers la mort ! dit Khalid Azzuz.

— Je parle d'une mort plus horrible !

« — Il n'y a rien de plus horrible que la mort...

— Il y a la mort qui t'enserre alors que tu es encore vivant !

— Non, non et non ! Nous ne pouvons pas nous sacrifier à cause d'un jeu de mots... »

Ragab hurla soudain, en proie à une violente colère :

« Cela ne te fait rien que les journaux divulguent le fait que tu étais en compagnie de mauvais garçons, à la réputation louche, après minuit, en train de badiner et de tuer ? »

La sécheresse du ton aviva la colère de la jeune femme, et elle répondit en criant :

« Non, cela ne me fait rien ! »

Il hurla, au paroxysme de la fureur :

« Tu joues le rôle de la femme courageuse, qui use paisiblement de son esprit de contradiction !

— Mensonges !

— Alors, viens avec moi au poste de police ! »

Mustafa Rachid s'emporta :

« Ce que nous avons mis si longtemps à bâtir, tu détruis par ta bêtise, en l'espace d'une seconde ! »

Saniyya se leva, lui prit la main et la caressa, baisa son front, afin qu'il renonce à la discussion, puis elle se planta devant Samara, lui demanda avec douceur :

« Veux-tu vraiment te sacrifier, et nous avec ?

— Oui ! répondit-elle avec une farouche détermination.

— Soit ! Fais de nous ce que bon te semble ! »

Avant que Samara n'ait ouvert la bouche, Am Abdu entra. Il tendit à Anis un petit sachet en disant :

« J'ai sué sang et eau pour me le procurer ! »

Ahmad lança à Anis :

« Débarrasse-toi de cela immédiatement !

« — Non !

— J'en ai assez dit à ce propos !

— Il n'y aura rien de plus facile que de le jeter à
l'eau lorsque ce sera nécessaire...

— Que se passe-t-il ? » demanda Am Abdu.

Anis lui demanda d'aller préparer une tasse de
café. Sa venue avait légèrement détendu l'atmosphère. Le silence régna jusqu'à ce que Mustafa
Rachid dise, l'air désolé :

« Le mauvais œil nous a frappés...

— Si nous roulions une cigarette ? On ne sait
jamais... », proposa Khalid Azzuz.

Le visage d'Ali as-Sayid s'épanouit, arborant un
optimisme soudain, et il dit avec espoir :

« Je parie que Ragab va avoir des enfants ! »

Anis éclata de rire, malgré son irritation, et
déclara :

« Vous avez fait tout un drame d'un rien ! »

Et comme personne ne faisait attention à lui, il
ajouta :

« Samara est une fille à principes, mais c'est aussi
une femme de cœur ! »

Ils le regardèrent d'un air méfiant, avec un mécontentement évident, mais il continua :

« Nous avons une dette envers l'amour... »

Plus d'une voix s'éleva, lui intimant de se taire,
mais il insista :

« C'est lui qui nous a sauvés de la rigueur de nos
principes... »

Samara, à bout de nerfs, émit une plainte lasse,
puis éclata en sanglots, comme si une tornade anéan-
tissait brusquement son sang-froid. Ali as-Sayid, ému,
s'approcha d'elle pour tenter de la réconforter, tandis
que Ragab se jetait sur Anis en hurlant :

« Toi ! Toi ! »

Et sa main s'abattit violemment sur le visage de son camarade.

18

Ahmad Nasr agrippa le bras de Ragab et le tira avec force vers l'arrière en disant d'une voix tremblante :

« Tu es fou... Quelle catastrophe ! Quelle folie ! »

Samara cessa de pleurer. Un silence de mort les étreignit. Anis encaissa la gifle sans broncher. Il regarda Ragab longuement sans rien dire. Mustafa voulut s'approcher pour l'apaiser, mais il le repoussa.

« Je t'en prie...

— C'était un geste déplorable sans aucun doute, mais le fautif est un ami au cœur pur, et la colère l'a aveuglé !

— Non ! » tonna-t-il.

Am Abdu arriva, comme s'il répondait à un appel, et dit :

« Le café est sur le feu ! »

Il lui fit signe de partir et le vieil homme s'exécuta. Anis se leva et se mit à arpenter la pièce, en grommelant des paroles inintelligibles. Brusquement, il bondit sur Ragab et le serra à la gorge. Ragab le frappa avec force sur les avant-bras pour se dégager tandis qu'Anis lui assena un coup de tête dans le nez ; ils se grippèrent mutuellement à coups de poing et de pied. Les autres se ruèrent pour les séparer, au moment où Anis vacillait et s'écroulait sur le sol.

Am Abdu réapparut dans l'encadrement de la porte, incrédule, puis il murmura :

« Non ! Non ! »

Ahmad Nasr lui fit signe de déguerpir, mais il s'avança en répétant :

« Non ! Non ! »

Puis il recula, sous la pression muette des regards, en hochant la tête d'un air désolé. Mustafa Rachid et Ali as-Sayid aidèrent Anis à s'asseoir et les autres entourèrent Ragab qui essuyait le sang coulant de son nez. Anis étendit ses bras sur les accoudoirs, appuya sa tête sur le dossier, les yeux à demi clos. Layla et Saniyya se levèrent pour lui donner les premiers soins, apportant de l'eau et du coton, épongeant le sang sur sa lèvre inférieure et son front ; puis elles lui aspergèrent le visage et le cou. Les traits de Samara se crispèrent de douleur et elle grommela quelques mots sans suite. Ahmad Nasr frappait ses poings l'un contre l'autre en disant :

« Je n'aurais jamais imaginé... »

Ali as-Sayid murmura :

« Quel gâchis...

— Le diable s'est emparé de nous, et nous avons ruiné notre existence... »

Les yeux de Saniyya étaient baignés de larmes :

« Qui aurait cru qu'une telle chose pourrait arriver sur notre péniche ! » dit-elle, et elle se remit à pleurer en silence.

Anis ouvrit les yeux. Il ne regardait plus personne. Ali as-Sayid se pencha vers lui.

« Comment te sens-tu ? »

Il ne répondit pas.

« Je vais appeler un médecin, si tu permets.

— Ce n'est pas la peine !

— La tristesse nous a tous anéantis, crois-moi ; y compris Ragab, il désire se réconcilier avec toi. »

Il répondit avec une étrange douceur :

« Plus rien n'a d'importance, sauf... »

Il avala sa salive et continua :

« ... sauf le meurtre... »

Personne ne sembla comprendre... Il se redressa sur son séant et Ali as-Sayid lui demanda s'il allait mieux. Il répéta, avec le même calme :

« Plus rien n'a d'importance, sauf le meurtre...

— Que veux-tu dire ?

— Je dis qu'il faut que justice se fasse...

— Ragab est prêt... »

Il l'interrompit :

« Je parle du meurtre de l'inconnu... »

Ils échangèrent des regards intrigués et Ali as-Sayid haussa les épaules en disant :

« L'important, c'est que tu reviennes à ton état normal...

— C'est fait et bien fait, je te remercie ; je parle de ce qu'il faut faire maintenant...

— Mais je ne comprends pas ce que tu veux dire !

— C'est pourtant clair ! Je parle du mort inconnu et je dis qu'il faut que justice se fasse ! »

Ali as-Sayid sourit d'un air mi-perplexe, mi-stupide, et dit :

« Tu nous vois au comble de la misère, près d'éclater, et...

— Il faut que justice se fasse !

— Parler te fatigue, sans doute...

— Il faut que nous allions avouer ce meurtre sur-le-champ.

« — Tu ne sais pas ce que tu dis !

— Si, je le sais très bien, et je suis tout à fait conscient.

— C'est incroyable !

— Tu dois pourtant y croire car c'est bien réel...

— Mais tu te désintéressais complètement du problème !

— À présent, rien d'autre ne m'intéresse ! »

Ahmad lui apporta un whisky, mais il refusa poliment. Il voulut lui rouler une cigarette, mais il déclara qu'il le ferait lui-même en temps voulu.

Layla s'écria d'une voix suppliante :

« Je t'en prie, ne nous crée pas d'autres embêtements !

— C'est une fatalité inéluctable.

— Nous en avions terminé, et même Samara a eu pitié de nous...

— J'en ai assez dit... »

Khalid s'exclama d'un ton exaspéré :

« Les amis, il faut partir, nous sommes pris de folie et rester ensemble ne fera qu'aggraver notre état !

— Mais j'irai moi-même au poste, sachez-le... »

Les regards se fixèrent sur lui avec consternation. Ragab tourna son visage vers le Nil pour y déverser sa colère, et Ahmad Nasr reprit :

« Tu n'as plus toute ta tête !

— Si ! je suis parfaitement conscient.

— Est-ce que tu imagines les conséquences ?

— Chacun recevra sa part de sanction ! »

Ragab cria d'une voix stridente :

« C'est un licencié désespéré, et il se fiche complètement que le temple s'écroule sur ses habitants ! »

Ali as-Sayid lui lança :

« Toi, tais-toi, tu es le principal responsable, alors ne dis rien ! »

Puis il se tourna vers Anis en plaidant avec fougue :

« Pensais-tu vraiment qu'on allait te laisser seul dans le pétrin ? Il n'est pas encore certain que tu sois renvoyé, et si tu l'étais, nous t'aiderions jusqu'à ce que tu trouves un autre travail...

— Merci, mais cela n'a aucun rapport...

— Je t'en prie, sois raisonnable, il n'y a aucune raison au monde qui justifie ta position. Même Samara s'est rendue à notre cause, je ne te comprends pas !

— Vraiment tu ne comprends pas ? s'écria Ragab.

— Toi, tais-toi !

— Tu ne vois pas qu'il s'est promis de se venger de moi ?

— Toi, tais-toi !

— Il est devenu fou ! Il est inutile de discuter avec un fou !

— On t'a dit de te taire !

— Que le ciel s'écrase sur la terre si je permets à un dément de briser mon avenir ! »

Samara voulut dire quelque chose, mais Ragab brandit son poing vers elle et s'écria, furieux :

« Que veux-tu, toi, la cause de tous nos malheurs ? »

Elle se recroquevilla avec effroi, et Ragab se transforma en bête sauvage dont la face respirait la férocité. Il hurla :

« S'il faut absolument que l'on accuse quelqu'un de meurtre, alors qu'il y ait véritablement meurtre ! »

Les hommes se pressèrent autour de lui, et Ahmad déclara d'un air désespéré :

« Un désastre... Un désastre va arriver qui va tous nous anéantir... »

Am Abdu réapparut et s'écria :

« Par Dieu, reprenez-vous ! »

Ahmad Nasr lui lança :

« Sors, va au diable, et gare à toi si tu reviens ! »

Puis, une fois le vieil homme parti, il s'adressa à Anis :

« Anis, tu vois ce qui arrive, au nom de notre amitié, reconnais que tu délirais !

— Jamais ! déclara-t-il avec assurance.

— Sois maudit ! »

Il se tourna vers Samara l'invitant d'un regard trouble et inquiet à intervenir. Leurs yeux se posèrent sur elle en une supplication muette, l'exhortant à parler et, ce faisant, à s'avouer responsable de ce qui était arrivé. La gêne l'envahit. Elle regarda Anis et avala sa salive, prête à dire quelque chose, mais il la devança :

« Je ne reviendrai pas sur ce que j'ai dit, c'est juré. »

Ragab bondit, tâchant de briser l'étau qui l'enserrait pour se ruer sur lui, mais ils maintinrent leur prise et l'immobilisèrent. Il tenta de toutes ses forces de se libérer, en vain. À ce moment-là, Anis se leva, se dirigea vers la porte, disparut un instant, puis revint en brandissant un couteau de cuisine, et se posta entre la porte et le réfrigérateur, résolu à se défendre jusqu'à la mort. Les femmes hurlèrent. Saniyya menaça d'appeler la police. Le couteau ne fit que redoubler la fureur de Ragab, il se jeta d'un seul élan sur Anis en jurant, mais ils l'arrêtèrent à temps. Khalid Azzuz s'écria :

« Il faut partir immédiatement ! »

Mais Ragab hurlait :

« Je le tuerai avant qu'il ne me tue ! »

Malgré sa résistance, ils le poussèrent vers la porte, mais plus il essayait de leur échapper, plus ils assuraient leur prise, et bientôt leur manège ressembla à un véritable combat. Il menaça de les frapper s'ils ne le libéraient pas et ils le menacèrent à leur tour.

Anis suivait la scène avec étonnement. Ils se battaient. Le fauve voulait tuer. Il se jetait à corps perdu dans la lutte, mais ne pouvait triompher d'eux.

Brusquement, il cessa de se débattre. Il se tint alors figé, haletant, puis se redressa, furieux, les yeux hallucinés.

« Vous prétendez que je suis le seul responsable ! hurla-t-il.

— Nous en parlerons quand nous aurons quitté la péniche...

— Vous avez fui avec moi !

— Nous parlerons plus calmement dehors.

— Non ! Espèces de salauds ! Je m'en vais, j'irai au poste moi-même ! Je défie la ruine, la mort et tous les diables ! »

Il sortit, avec eux à ses trousses. Layla et Saniyya leur emboîtèrent le pas sur-le-champ. La péniche oscilla sous le poids de leurs pas lourds et décidés.

Anis posa le couteau sur la table et se dirigea vers le matelas le plus proche. Puis il s'assit, non loin de Samara. Tous deux regardèrent le Nil, au-delà du pont, s'abandonnant au silence et à la solitude.

Il pensa que la terre venait de trembler, qu'elle était sur le point de se désintégrer. Il sentit des pas s'approcher en résonnant familièrement, mais il ne se retourna pas. Le vieil homme se planta derrière lui et dit :

« Ils sont partis... »

Il ne répondit pas, et l'autre reprit :

« Le diable s'est joué de vous jusqu'à plus soif... »

Il s'enferma dans son silence.

« Je vous ai apporté du café... », ajouta le vieil homme.

Anis fit jouer ses mâchoires douloureuses, et ordonna :

« Pose-le.

— Buvez-le immédiatement, de la main d'un ami, pour apaiser la souffrance et que cela vous guérisse, cette fois ! »

Am Abdu tourna les talons, se dirigea vers la porte, mais s'arrêta près du paravent et déclara :

« J'étais décidé à défaire les chaînes de la péniche s'il vous avait frappé de nouveau !

— Mais je me serais noyé avec les autres ! s'exclama Anis, stupéfait.

— De toute façon, Dieu nous protège... »

Anis rit d'un rire léger et demanda à Samara :

« Tu as entendu ce qu'a dit le vieux ?

— Tu ne crois pas qu'il faille appeler un médecin ?

— Mais non ! Ce n'est pas la peine ! »

Le souvenir de la lutte aiguisa sa souffrance, mais la blessure était superficielle et déjà le café lui réchauffait l'estomac. Elle demanda une fois encore :

« Va-t-il vraiment aller au poste ?

— Je ne sais rien de ce qui se passe au-dehors ! »

Elle hésita un instant, puis se lança :

« Qu'est-ce qui t'a poussé à... »

Elle s'interrompit, mais bien qu'il eût compris ce qu'elle voulait dire, il ne répondit pas. Elle insista :

« La colère ?

— Peut-être... »

Puis il ajouta en souriant :

« J'ai aussi voulu essayer de dire ce qu'il y avait à dire... »

Elle réfléchit un instant, et demanda :

« Pourquoi ?

— Je ne sais pas exactement, peut-être pour voir l'effet que cela ferait...

— Comment as-tu trouvé cela ?

— Comme tu as pu le constater...

— Avais-tu l'intention d'aller toi-même au poste s'il ne le faisait pas ?

— Tu n'aurais pas voulu cela ?

— La situation était au-dessus de mes forces, et je me suis avouée vaincue !

— Mais l'expérience a prouvé que c'était possible !

— On dirait pourtant que tu n'es pas allé jusqu'au bout !

— Ce n'est pas la peine. Je suis dans la même situation que toi...

— Tu recommences à vouloir m'achever ! »

Il se tut un instant, puis reprit :

« Tu l'aimes, n'est-ce pas ? »

Elle se retrancha dans son mutisme, feignant d'ignorer ses regards.

« L'as-tu trouvé différent du remarquable monsieur que tu avais refusé auparavant ? demanda-t-il.

— Ton humeur belliqueuse ne t'a pas quitté ! dit-elle d'un ton plaintif.

— Il n'y a pas de honte à cela, Ragab est aussi un homme remarquable...

— Mais il n'a pas de sens moral.

— Plus personne n'a de sens moral, pas même Ahmad Nasr !

— Je serais tentée de dire que tu es pessimiste, mais je n'en ai pas le droit.

— De toute façon, leur amoralité les empêchera de commettre une folie morale et l'amour refleurira...

— Torture-moi comme il te plaira, je le mérite et plus encore... »

Il eut un rire qui raviva soudain les douleurs de ses mâchoires, et il dit :

« Voilà que j'admets devant toi que la jalousie était l'un des mobiles de mon comportement étrange ! »

Elle lui lança un regard étonné et il sourit en ajoutant :

« Je ne peux pas te tromper... Tu pourrais imaginer que l'un des personnages de ta pièce de théâtre évolue de façon positive sous l'influence de tes discours ou sous l'effet de la violence d'une expérience vécue... Ce qui aboutirait à un dénouement... »

Elle continua à le regarder, intriguée, et il reprit :

« Il y a une autre fin possible, aussi banale que la précédente : c'est que tu répondes à mon amour... »

Elle cligna des yeux, et demanda :

« Et comment imagines-tu le dénouement ?

— C'est notre problème, et pas seulement celui de la pièce...

— Mais tu as parlé de quelque chose qu'il fallait dire !

— C'est exact, ce n'était pas uniquement la colère et la jalousie, mais après cela j'ai eu envie de dire ce qu'il fallait dire, d'arborer une attitude sérieuse, pour voir quels seraient les effets... Un séisme dont nous ne pouvions prévoir les conséquences nous a ébranlés, et toi-même tu as été vaincue...

— Tu dissèques mon cadavre !

— Mais je t'aime... »

Une profonde tristesse voila son regard et elle dit :

« J'avoue être contrainte de jouer à être plus sérieuse que je ne suis en réalité...

— Dis vite ce que tu as à dire car le café va bientôt faire son effet...

— Pendant mes courts instants d'oisiveté, au bureau, l'absurde me fait souffrir comme une rage de dents...

— C'est l'un de ses symptômes !

— Mais je le combats avec mon intelligence et ma volonté.

— Tu n'es pas loin d'évoluer à contre-courant de l'héroïne de ta pièce ! » ironisa-t-il.

Elle répondit, irritée :

« Mais non ! Pas du tout ! Je suis sûre de moi ! »

Il se tut, compatissant, et elle reprit :

« Malgré tout, je suis persuadée que le problème ne relève ni de l'intelligence ni de la volonté.

— Alors ?

— Connais-tu le jeu de la grande roue, au Luna-park ?

— Non.

— Elle tourne avec ses occupants, de bas en haut et de haut en bas.

— Et ensuite ?

— Lorsqu'elle monte, tu ressens spontanément une impression d'élévation, et lorsqu'elle descend, tu ressens spontanément l'impression inverse, sans intervention, dans les deux cas, de l'intelligence ou de la volonté !

— Explique-moi cela plus en détail, mais n'oublie pas le café !

— Nous faisons partie de ceux qui descendent...

189

— Et alors ?

— Nous ne sommes qu'intelligence et volonté, hélas !

— Est-ce un échec ?

— Bien sûr que non ! dit-elle vivement.

— Te considères-tu comme un modèle de réussite ?

— Parmi ceux qui descendent, on trouve des gens qui se sont dépassés, et qui ont transcendé leur défaite... »

Elle se mit à parler de l'espoir et il regarda la nuit : elle battit des ailes, et les secrets s'éparpillèrent comme des étoiles. Les paroles de Samara se muèrent en un chuchotement jaillissant des somnolences du rêve. Quelque chose lui dit que, d'ici peu, la tête de la baleine viendrait fendre la surface de l'eau.

« Tu n'es plus avec moi ! » dit-elle.

Il se mit alors à monologuer.

« L'intelligence du singe est à l'origine de tous nos malheurs !

— Tu n'aurais pas dû boire le café...

— Il a appris à se dresser sur ses jambes et a libéré ses mains !

— Bon, cela veut dire qu'il faut que je parte... As-tu un plan pour l'avenir si les choses se compliquent ?

— Ils lui dirent : " Retourne dans les arbres, sinon les fauves te cerneront ! "

— Auras-tu des revenus suffisants si tu es licencié ? »

Il saisit d'une main une branche, et de l'autre une pierre, puis il s'avança, méfiant, portant son regard sur une route sans fin...

DU MÊME AUTEUR

Impression Brodard et Taupin
à La Flèche (Sarthe),
le 1er décembre 1994.
Dépôt légal : décembre 1994.
1er dépôt légal dans la collection : octobre 1991.
Numéro d'imprimeur : 6748 K-5.
ISBN 2-07-038423-3 / Imprimé en France.

70985